Secrets d'alcôve

Retrouvez toutes les collections **J'ai lu pour elle**
sur notre site :

www.jailu.com

LIZ MAVERICK
KIMBERLY DEAN
LYNN LAFLEUR

Secrets d'alcôve

Traduit de l'américain par Anne Ferréol-Dedieu

POUR elle

Titre original :
If This Bed Could Talk
Published by Avon Trade, an imprint of HarperCollins
Publishers, New York

LIZ MAVERICK

Agent provocateur

1

Ce matin, Vienna James devait *absolument* faire bonne impression. En général, on n'a que quelques secondes pour ça.

Elle leva les yeux vers les cabines vitrées qui entouraient la piste. Les hommes, là-haut, étaient venus assister à une vente aux enchères. Sauf que ce n'était pas des poulains ou des chevaux qu'on allait exhiber, mais *elle*.

Ses chances de trouver un acquéreur étaient pratiquement nulles. En songeant qu'elle était à la croisée des chemins – ce qui pouvait lui arriver de mieux était que quelqu'un l'achète pour lui faire faire Dieu sait quoi –, Vienna essaya de sourire. Pas facile de paraître guillerette avec ses menottes et son uniforme de taularde.

La voix dans le haut-parleur lui ordonna de tourner sur elle-même. Vienna fit exactement ce qu'on lui demandait mais, à la fin de sa pirouette, son cœur se mit à battre la chamade en voyant les lumières vertes qui commençaient à s'éteindre. Lorsqu'il n'y en aurait plus une seule d'allumée, la vente serait finie. Pour l'instant, sur six au départ, il n'en restait déjà plus que deux.

« Souris, Vienna, se dit-elle. Souris à ces crétins… Ô mon Dieu… Tout cela est ridicule ! »

Sa spécialité, c'étaient les armes et tout ce qu'on pouvait faire avec – point final. Se pavaner, jouer de ses charmes… ce n'était pas son truc. Mais elle n'avait pas le choix si elle voulait sauver sa peau.

Vienna leva de nouveau les yeux vers les cabines. Dans celle du milieu, il y avait deux hommes, penchés en avant, tout près de la vitre, et qui la regardaient attentivement.

« Allez-y, les gars, achetez-moi, pensa-t-elle. Achetez-moi. Je vous promets que vous ne serez pas déçus. Et moi non plus, je ne serai pas déçue… parce qu'une fois que vous m'aurez sortie d'ici, à la première occasion, je vous fausserai compagnie. »

Michael et Devlin Kingston étaient collés à la vitre de la petite cabine et regardaient tour à tour le catalogue de la vente et la femme en contrebas – le lot 66 429.

Cheveux blonds, yeux bleus, des courbes somptueuses que son atroce uniforme n'arrivait pas à escamoter, elle ressemblait comme deux gouttes d'eau à l'ex-fiancée de Devlin, Julia.

« Elle est parfaite », pensa Michael.

— Quel chiffon, cette fille ! s'exclama Devlin.

Michael regarda fixement son frère.

— Tu plaisantes, je suppose ?

Devlin croisa les bras et pinça les lèvres.

— Moi, elle me plaît bien, poursuivit Michael. Qu'est-ce que tu veux de plus ? Les cheveux, les yeux, la silhouette… Tu sais aussi bien que moi que nous ne trouverons pas mieux.

En passant le catalogue à son frère, il ajouta :

— Elle s'appelle Vienna James.

Devlin haussa les sourcils.

— Combien tu paries que ce n'est pas son vrai nom ?

— En tout cas, c'est sous ce nom qu'elle a été incarcérée, repartit Michael en ricanant. Le reste, on s'en fout.

— C'est sa troisième condamnation pour le même crime, murmura Devlin d'un air songeur.

Il n'avait pas besoin d'en dire plus. Devant l'accroissement de la criminalité, l'État avait adopté une loi qui prévoyait l'application automatique de la peine de mort en cas de deuxième récidive. Cette loi draconienne avait été surnommée par les libéraux la loi 3TM, ce qui voulait dire : « Au troisième coup, t'es mort. »

— Et maintenant, poursuivit Devlin, elle attend son exécution, à moins que quelqu'un ne l'achète. Tu sais, dit-il en rendant le catalogue à son frère, plutôt qu'une experte en flingue, j'aurais préféré une call-girl.

— Je ne suis pas d'accord. Je pense que Pierce repérerait tout de suite une professionnelle.

— Tu as l'intention de la former ? demanda Devlin.

— Oui, bien sûr que je vais la former. Je dis seulement que, si elle a l'air mal dégrossie, ça n'en vaudra que mieux. Bon, poursuivit Michael en montrant la rangée de lumières vertes, nous devons nous dépêcher de prendre une décision.

Devlin se tut un long moment. Enfin, il dit :

— C'est le sosie de Julia.

Michael dévisagea son frère. Devlin ne prononçait jamais le nom de Julia sans que ses traits ne durcissent imperceptiblement. Le nom de Julia ou celui de Pierce Mackey. Devlin n'avait pas oublié. Bon Dieu, Michael n'avait pas oublié non plus ! Et ni l'un ni l'autre n'avaient pardonné.

Michael se tourna de nouveau vers la fille occupée à obéir aux ordres qui fusaient du haut-parleur. Elle faisait le tour de la piste, s'évertuant à séduire un éventuel acheteur dans une sorte de partie de « Jacques a dit » qui aurait été grotesque s'il n'y avait eu une vie en jeu.

— Peut-être que tu devrais t'en occuper, *toi*, suggéra-t-il à son frère.

Devlin fit la moue.

— J'aimerais mieux pas. Si elle passe pour *ta* fiancée, l'appât n'en sera que plus tentant pour Pierce. Il va se jeter sur une occasion de te faire le même coup qu'à moi, afin que sa victoire soit complète.

La dernière lampe verte se mit à clignoter, ce qui voulait dire qu'il ne restait plus que trente secondes pour faire une offre. Michael décrocha l'Interphone.

— J'aimerais pouvoir parler à la prisonnière avant de porter une enchère.

Il raccrocha et, un court instant plus tard, le haut-parleur annonça qu'un éventuel acheteur était intéressé par la dénommée Vienna James, qu'il avait obtenu la permission de lui parler en privé et que la même faveur serait accordée à tous ceux qui en feraient la demande.

Personne ne se manifesta. Les ultimes secondes s'égrenèrent, et la lampe verte passa au rouge. Un garde prit la fille par le bras et l'emmena sans ménagement tandis que la pendule était remise à zéro avant de passer au lot suivant.

— Eh bien, c'est toi le connaisseur, dit Devlin en ouvrant la porte d'une main et en rajustant le nœud de sa cravate de l'autre. Si tu crois qu'elle peut faire l'affaire, achète-la. Moi, je m'en vais. J'étouffe ici.

Cinq minutes plus tard, le garde poussa Vienna dans la cabine.

— Vous voulez que je reste ? demanda-t-il à Michael par acquit de conscience.

— Non merci, répondit Michael.

Le garde haussa mollement ses énormes épaules.

— Alors, je vais attendre dehors.

Vienna resta plantée là, toujours entravée. Michael leva les yeux vers la caméra qui venait de se mettre en marche.

— C'est pour protéger qui ? Vous ou moi ? demanda-t-elle en regardant dans la même direction que lui.

Michael se contenta de sourire.

— Bonjour, Vienna. Moi, c'est Michael.

— Bonjour, répondit-elle d'une voix neutre.

Michael l'observa de la tête aux pieds en prenant son temps et sans se gêner. De loin, il l'avait prise pour l'archétype de la grande blonde, belle mais fade. Après examen, elle se révélait plus rare que ça. C'était peut-être seulement parce qu'elle ne pouvait pas faire autrement mais elle était *nature*, au contraire des femmes de son milieu qui, entre les injections, les liftings, les implants et les teintures, se ressemblaient toutes plus ou moins.

Il la prit par les épaules et lui caressa les bras. À en juger d'après ses biceps bien fermes, elle avait fait de la gym en cellule. Qu'elle ait pris cette peine, cela prouvait de la combativité et de l'optimisme. C'était bon signe.

Pour mener à bien sa mission, il n'avait pas besoin d'une fille qui se décourage facilement et doute d'elle-même.

— Tout est dans mon dossier. Si c'est ce qui vous préoccupe, je n'ai pas de cicatrices ou des choses comme ça, dit-elle d'une voix qui tremblait un peu.

— Vous êtes nerveuse, Vienna ? Ou alors c'est la première fois depuis longtemps qu'un homme vous touche.

— Non, je ne suis pas nerveuse… et si vous voulez dire qu'il y a longtemps que je n'ai pas été *tripotée,* je suis obligée d'en convenir.

Michael fit mine de rire puis, brusquement, il la plaqua contre lui.

— Pas nerveuse, d'accord, disons plutôt furieuse.

Elle ne répondit rien mais ses yeux lancèrent des éclairs.

— Folle furieuse, murmura-t-il.

Il la prit par la taille. Elle hoqueta de surprise lorsqu'il laissa descendre sa main et lui caressa les fesses. Michael sourit. C'était du vif-argent, cette fille ! Elle serait parfaite pour le job.

Il se dépêcha de s'écarter avant qu'elle s'aperçoive de l'effet qu'elle lui faisait et alla s'asseoir.

— Vous savez, je vous aime bien, Vienna James.

Elle passa d'un pied sur l'autre, plaqua les menottes contre son ventre pour soulager ses bras et regarda Michael droit dans les yeux. Elle entrouvrit les lèvres comme si elle avait dans l'idée de dire quelque chose, mais, finalement, elle resta silencieuse.

— Oui ? dit-il pour l'inciter à parler.

— Je me demandais ce que vous faisiez dans la vie.

— Import-export.

— Quel genre de marchandise ?

— Des agents.

— Je suis championne de tir.

— Je n'ai pas besoin d'une championne de tir, Vienna.

— Vous avez besoin de quoi, exactement, *Michael* ?

— J'ai besoin, disons, d'un… *agent provocateur.*

Elle battit des paupières, comme si elle essayait de décoder ce qu'il venait de dire, et l'atmosphère se tendit de nouveau.

— Nous sommes en train de parler de prostitution ?

— De séduction.

— C'est bien ce que je disais : prostitution… mais tout habillée.

— Si vous voulez.

— Je ne sais pas si je veux, dit Vienna après un long silence. Une séductrice professionnelle ? J'avoue que ça ne faisait pas partie de mes projets à long terme.

— Et mourir d'une injection létale à vingt-sept ans, ça faisait partie de vos projets à long terme ?

Vienna devint livide.

— Combien de temps prévoyez-vous, euh, de m'utiliser ?

Michael la regarda s'adosser à la porte avec l'air d'un gibier pris au piège.

— Je n'en sais rien.

— Et si nous fixions une limite ?

Cette fille avait un culot monstre ! Michael n'en revenait pas. Peut-être n'avait-elle pas bien compris qui était le chef.

— Êtes-vous en train d'essayer de négocier avec moi ?

— Je peux toujours refuser la vente.

— Et mourir ? dit-il.

Vienna fit la grimace.

— Promettez-moi seulement que ma servitude ne durera pas indéfiniment.

— Je n'ai rien à vous promettre : question de principe.

Elle plissa les yeux.

— Donnez-moi votre parole ou bien…

— Qu'est-ce qui pourrait m'empêcher de vous donner ma parole maintenant et de ne jamais la tenir ?

— Si vous ne la tenez pas, je saurai de source sûre que vous êtes un menteur. C'est toujours bon de savoir à quoi s'en tenir avec les gens.

— C'est vrai, confirma Michael pensivement. Sauf que, dans votre cas, s'il s'avère que je suis un menteur, le temps de vous en apercevoir, vous serez morte.

Elle pointa le menton d'un air farouche.

— Je ne pense pas que je risque de mourir.

— Pourquoi ?

Elle s'écarta de la porte et se pencha vers lui.

— Parce que j'ai un tas de talents inemployés... et j'apprends vite.

Michael l'empoigna par le col de son uniforme et la força à se baisser jusqu'à ce que leurs bouches se touchent presque.

— Prouvez-le, dit-il. Embrassez-moi comme si votre vie en dépendait. Après, je vous donnerai mon avis sur vos prétendus talents. Dépêchez-vous, parce que je n'ai pas l'intention de passer Noël ici.

Les lèvres de Vienna frôlèrent les siennes, et il n'en fallut pas davantage pour que Michael perde son sang-froid. Il repoussa sa chaise et se leva.

— Allez-y, Vienna. Montrez-moi ce que vous avez dans le ventre, ou bien je vous abandonne à votre triste sort.

Vienna se rua sur lui comme un chat sauvage. Pris au dépourvu, il cogna contre la vitre avec un bruit sourd dont l'écho emplit la petite cabine. Le cœur battant, ses mains coincées entre leurs deux corps, Vienna se pencha et posa sa bouche sur celle de Michael, l'espace d'une seconde, pas plus, et puis elle s'écarta un peu et se passa la langue sur les lèvres pour les humidifier. Un petit geste tout bête, sans malice, très certainement, mais qui suffit à émouvoir Michael jusqu'au tréfonds. Il aurait pu se l'adjuger dès cet instant mais il était curieux de voir la suite.

Elle baissa les paupières, soupira avec grâce, lui mordilla la lèvre inférieure et l'embrassa langoureusement pour commencer, ensuite avec ardeur, avec voracité.

Après lui avoir passé ses mains entravées par-dessus la tête, elle se colla contre lui. Les deux premiers boutons de son uniforme jaillirent de leurs boutonnières, révélant une épaule et la naissance d'un sein.

Michael ravala son souffle et s'efforça de ne pas céder à l'affolement. Il n'avait pas envie de lui faire l'hommage d'une solide érection. Elle en conclurait peut-être un peu vite qu'elle avait réussi le test. Mais son corps s'échauffait malgré lui.

13

N'y tenant plus, il la prit par la taille et la fit tourner autour de lui jusqu'à ce que ce soit elle qui se retrouve plaquée contre la vitre embuée. Elle tendit les bras au-dessus de sa tête. Les menottes crissèrent contre le verre.

Il l'embrassa, s'emparant de sa bouche comme s'il allait la dévorer, âprement, impérieusement – afin qu'elle sache qui des deux était le maître et qui l'esclave.

Elle gémit doucement et se laissa guider, tandis qu'il lui mordillait les lèvres et se serrait contre elle en ondulant des hanches. Sans réfléchir, il ouvrit sa braguette, dans l'intention de la posséder sur-le-champ. Le crissement de la fermeture à glissière suffit à le dégriser. « Pas de ça, Michael ! Ça suffit, maintenant ! »

Il la repoussa, avec un peu trop de vigueur, mais, après tant d'émotions, il ne se contrôlait plus tout à fait. Vienna s'adossa à la vitre. Ils étaient aussi pantelants l'un que l'autre.

— Est-ce que j'ai sauvé ma peau, Michael ? demanda-t-elle.

Lui, il l'observait. Il trouvait qu'elle avait à peu près la même taille que Julia, les mêmes yeux, le même teint, les mêmes cheveux, mais la ressemblance s'arrêtait là. Elle ne lui rappelait pas Julia. Elle ne lui rappelait personne.

Bon Dieu, qu'elle embrassait bien !

Quelqu'un frappa contre la porte. C'était le garde qui venait récupérer Vienna.

— Hé, je sais faire un tas d'autres choses ! s'écria-t-elle quand le garde la prit par le bras pour l'entraîner dehors. Je suis experte en armes. Essayez-moi !

— Pas de panique, Vienna, répondit Michael en réprimant un sourire. Je vous achète. Vous êtes à moi, désormais.

« Et les seules armes dont tu vas avoir besoin, pensa-t-il, c'est ton joli petit corps et ta jolie petite gueule. »

2

Vienna fut conduite chez Michael à l'arrière d'une limousine, les yeux bandés. Elle avait pensé s'entraîner avec d'autres esclaves, se fondre dans un groupe et se faire oublier en attendant une occasion de prendre la poudre d'escampette.

Cependant elle ne fut intégrée à aucun groupe. Elle n'alla pas avec les autres faire du jogging dans les bois. On lui assigna une chambre où elle n'eut rien d'autre à faire que d'attendre le bon vouloir du maître.

Le cinquième jour, enfin, il lui fit dire de le rejoindre et, pour la première fois depuis son arrivée, Vienna put sortir dans le parc. En suivant les indications qu'on lui avait données, elle arriva devant une bâtisse ronde, entra dans un hall, traversa un couloir où il faisait noir comme dans un four, franchit une double porte et se retrouva dans un endroit qui ressemblait beaucoup à un théâtre.

Seul le devant de la scène était éclairé.

C'était l'endroit idéal pour un casting, pensa Vienna.

Soudain, un homme apparut. À contre-jour, elle n'en distinguait que la silhouette, mais elle sut immédiatement de qui il s'agissait. Michael la prit par le bras et l'entraîna dans les coulisses. Arrivés devant une porte sur laquelle était inscrit au pochoir : « Maquillage », Michael l'ouvrit. Vienna avait entendu parler d'un frère nommé Devlin et, en entrant dans la pièce, elle comprit tout de suite qu'elle venait de faire sa connaissance. C'était indéniable. Physiquement, les deux hommes étaient presque identiques – cheveux noirs, yeux verts, costumes d'alpaga, cravates de soie, chaussures en croco, montres en or.

Devlin Kingston était en conversation avec une superbe rousse. En entendant la porte s'ouvrir, il se retourna.

— Devlin, je te présente Vienna, dit Michael. Vienna, Devlin.

— Salut, dit Vienna.

Devlin la soupesa du regard pendant un certain temps. Puis, il s'approcha, la saisit par le menton et lui fit tourner la tête d'un côté et de l'autre. Vienna se mordit la langue pour ne pas lui crier d'aller se faire voir. Michael aussi l'avait examinée, mais pas comme ça. Devlin se comportait avec elle comme un maquignon avec une bête promise à la boucherie.

— Holà, doucement ! bougonna Michael.

Vienna ne fut pas la seule à le regarder avec étonnement. Devlin et lui échangèrent un coup d'œil bref mais qui suggérait l'existence d'une rivalité entre eux.

Devlin lâcha Vienna et se dirigea vers la porte. En chemin, il se retourna et dit sèchement à la maquilleuse rousse :

— Jen, tu la mettras en bleu.

Puis il sortit. Michael croisa les bras sur sa poitrine. En le voyant faire, Vienna se dit : « Et voilà comment le mâle dominant réaffirme son autorité sur la meute ! »

— Asseyez-vous, ordonna Michael.

Vienna s'installa dans un fauteuil. Devant l'abondance de produits de maquillage sur les tablettes, elle hocha la tête d'un air navré.

— Je suis de la campagne, dit-elle. Je n'ai jamais… ce n'est pas mon…

— Ne vous faites pas de soucis, dit Michael en l'interrompant. Jennifer va vous montrer.

En allant vers la porte, il se retourna, exactement comme son frère l'avait fait, et ordonna à la maquilleuse :

— Jen, habille-la comme tu veux mais, attention : tout sauf du bleu, c'est bien compris ?

Sur ce, il disparut. Vienna leva les yeux au ciel.

— Je ne sais pas quoi penser de ce type! s'exclama-t-elle.

La rouquine éclata de rire. En même temps, elle posa sa main sur sa tête comme pour tenir en place sa coiffure lisse et soignée, à la mode des années 1940.

— À mon avis, il ne sait pas quoi penser de vous non plus.

Elle attrapa une brosse et commença à démêler les cheveux de Vienna.

— En tout cas, Devlin n'a rien fait pour essayer de me mettre à l'aise, marmonna Vienna.

— Il fallait s'y attendre. Surtout si vous devez jouer un rôle à la Julia.

Vienna fronça les sourcils.

— Que voulez-vous dire par « un rôle à la Julia » ?

La jolie rousse changea d'expression.

— J'aurais mieux fait de me taire. S'ils ne vous ont pas dit ce qu'ils attendaient de vous, ce n'est pas à moi de le faire.

— Qui est Julia?

— Ça, ce n'est pas un secret. C'était la fiancée de Devlin. C'est elle qui a semé la zizanie partout.

Vienna n'y voyait toujours pas plus clair.

— Où est-elle maintenant?

La brosse dans la main de Jennifer s'immobilisa.

— Elle est morte. Mais c'est toujours à cause d'elle qu'il y a de la tension entre les deux frères.

— Comment est-elle morte?

Pas de réponse.

— Ils se ressemblent beaucoup, n'est-ce pas? poursuivit Vienna sur un ton plus léger. Pourtant, ils n'ont pas du tout le même caractère. Devlin, je dirais qu'il est glacial alors que Michael est...

— ... tout feu tout flamme? suggéra Jennifer avec un sourire. Je crois que vous l'aimez bien, Michael... Tant mieux, tant mieux...

Vienna se rembrunit.

— Non, je ne l'aime pas. Pourquoi est-ce que je l'aimerais?

— Si vous ne l'aimez pas, eh bien, j'espère que ça viendra, dit Jennifer d'un ton plein de sous-entendus. Physiquement, vous avez tout pour plaire à Devlin, vous ressemblez comme deux gouttes d'eau à son ancienne chérie, mais vous n'avez pas du tout la même personnalité que Julia. De ce côté-là, c'est plutôt à Michael que vous allez plaire. Il doit apprécier votre côté loubarde. Vous devriez bien vous entendre, tous les deux. Lui aussi, c'était un gosse des rues.

— Je ne l'aurais pas deviné, dit Vienna. Il parle comme un aristo, il se tient comme un aristo, il s'habille comme un aristo…

— Pourtant, les frères Kingston sont nés dans les bas quartiers, dit Jennifer en hochant la tête d'un air amusé. C'est là qu'ils ont connu Pierce Mackey. Maintenant, je comprends pourquoi ils vous ont choisie : à cause de vos origines… Vous pouvez dire que vous avez de la chance.

— De la chance ? répéta pensivement Vienna. Peut-être… Y a-t-il beaucoup de filles comme moi ici, d'anciennes taulardes, des rescapées de la piquouze ?

— Il y en a quelques-unes.

— Est-ce qu'il y en a déjà eu qui se sont échappées ?

— S'il y en a qui ont essayé, je ne pense pas qu'elles aient vécu assez longtemps pour s'en vanter, répondit la rouquine d'un ton soudain cassant.

— Vous êtes d'une grande loyauté, remarqua Vienna d'un ton faussement détaché.

— D'une loyauté *à toute épreuve*, renchérit Jennifer. C'est très important ici. Et, vu que vous êtes nouvelle, je vais me permettre de vous donner un conseil : ne prenez aucune décision à la légère. Les frères Kingston font peut-être un drôle de métier, mais ce sont de braves gens, vous verrez…

Michael cria :
— Lumières !
La rampe s'éteignit. Il était assis au premier rang. À côté de lui, Devlin se trémoussait impatiemment sur son siège.

18

— Pourquoi cette parade ? demanda Devlin. Cette fille est parfaite, nous sommes déjà d'accord là-dessus.

— J'ai pensé que ça ne pouvait pas faire de mal, répondit Michael. Juste pour être sûrs. C'est pour notre tranquillité d'esprit à tous les deux.

Devlin ricana.

— C'est moi qui te fais rire ? demanda Michael en prenant un air pincé.

— Oui, toi, et personne d'autre. Allons, avoue-le : tu avais juste envie de la reluquer.

Après un court instant de réflexion, Michael dit :

— O.K., d'accord. J'avais très envie de la voir. Je pense aussi que ça nous aidera à savoir si elle sort vraiment du lot. Est-ce que Mackey est susceptible de la repérer au milieu d'une foule de jolies femmes ? Toute la question est là.

Le visage de Devlin s'assombrit.

— Tu sais très bien que c'est elle qu'il va remarquer en premier.

Dans l'obscurité, plusieurs paires de hauts talons claquèrent sur les planches. Soudain, la rangée de projecteurs accrochée au-dessus de la scène s'alluma, révélant la présence d'une demi-douzaine de femmes choisies parmi les plus belles pensionnaires du château. Des boucles rousses, une coupe à la garçonne aile-de-corbeau, de lourdes mèches auburn… et puis, quatrième en partant de la gauche, Vienna, la blonde.

Devlin remarqua tout de suite qu'elle portait une robe noire et lança à son frère un regard furibond.

— Pierce la préférera en bleu, dit-il. Bon Dieu, en bleu, ce serait pratiquement la réincarnation de Julia ! Julia ne portait jamais que du bleu. Jennifer va m'entendre.

— Jennifer n'y est pour rien, reconnut Michael après un court instant d'hésitation. C'est moi qui lui ai ordonné de ne pas t'obéir. Je lui ai demandé tout sauf du bleu.

— Pourquoi ?

— Parce que je ne vois pas l'intérêt de proposer à Pierce la copie conforme de ce qu'il a déjà eu.

Devlin éructa quelques mots indistincts qui devaient être des jurons. Michael le considéra avec curiosité.

— Je te le demande une dernière fois : tu es sûr de ne pas vouloir t'en charger ?

— Sûr et certain.

— Sinon on la remet en bleu et tu t'en occupes...

— Qu'est-ce que je viens de te dire ? répliqua Devlin d'un ton sec.

En soupirant, il se tourna vers la scène.

— Numéro quatre, cria-t-il, approchez-vous un peu, s'il vous plaît ?

Personne ne bougea. Finalement, la fille aux lourdes mèches auburn tourna la tête et chuchota quelque chose à l'oreille de Vienna. Vienna eut un tressaillement de surprise, puis elle sortit du rang.

— Marchez, dit Devlin avec un geste de la main.

Vienna obéit, sa jupe noire à godets flottant gracieusement autour de ses cuisses à chaque pas. Devlin lui ordonna de s'arrêter, de faire demi-tour, de partir dans l'autre sens, plus vite, plus lentement, et encore de se montrer de dos, de face, de profil...

— Bon, dit Michael lorsqu'il s'aperçut que Vienna commençait à se lasser de ces mouvements de manège, elle devrait faire l'affaire.

— Elle devrait, acquiesça Devlin. Les autres, vous pouvez disposer, cria-t-il aux filles alignées au fond la scène. Quant à toi, ajouta-t-il à l'adresse de son frère, amuse-toi bien.

Après le départ de Devlin, Michael rejoignit Vienna sur la scène.

— Vous venez de réussir le dernier test, lui annonça-t-il. Je vais donc vous expliquer de quoi il retourne. Il y a un homme à qui nous en voulons à mort, mon frère et moi. Il s'appelle Pierce Mackey. Il nous a trahis...

— ... et vous aimeriez vous venger ? murmura Vienna.

— Tout juste. Avez-vous déjà entendu prononcer le nom de Julia ?

Vienna fit signe que oui.

— Pierce Mackey porte la bague de fiançailles de Julia au bout d'une chaînette autour de son cou. Il l'exhibe comme un trophée, pour que tout le monde sache bien qu'il a été plus malin que les frères Kingston, que c'est lui le vainqueur. Cette bague, c'est celle de notre mère. Elle l'avait donnée à Devlin lorsqu'il s'était fiancé avec Julia. Mon frère l'aimait plus que tout, cette fille. Elle nous a tous trahis avec Pierce Mackey. Ce que nous attendons de vous, c'est que vous nous aidiez à rendre la pareille à Pierce Mackey.

— Vous voulez que je couche avec lui ?

— Je veux que vous lui fassiez croire que vous êtes prête à me quitter pour lui. Je veux que vous lui fassiez croire que vous pourriez tomber amoureuse de lui. Je veux que vous le séduisiez, que vous le captiviez, que vous le subjuguiez… et, quand il sera à votre merci, je veux que vous lui preniez la bague et que vous me la rapportiez.

Vienna écarquilla les yeux.

— C'est ça, ma mission ? C'est pour ça que vous m'avez achetée ?

— Vous êtes le sosie de Julia. Devlin y tenait. Il pense que Pierce aura envie de me voler ma fiancée comme il a volé celle de mon frère parce que, jusqu'à présent, je suis le seul de la famille à qui il n'a pas encore réussi à faire du mal, vous comprenez ?

— Et ensuite, qu'est-ce que je deviens, moi ? Quand j'aurai accompli ma mission ?

— À supposer que vous soyez toujours en vie, dit Michael sans ménagement.

Vienna tressaillit d'effroi.

— Vous êtes cruel, murmura-t-elle.

Il la regarda attentivement.

— C'est la vie qui est cruelle, pas moi, dit-il en lui caressant la joue. Vous avez été condamnée à mort, Vienna. Sans moi, vous seriez déjà six pieds sous terre.

C'est un fait que je ne devrais pas avoir besoin de vous rappeler.

Sans un mot de plus, il redescendit dans la salle et s'éloigna vers la sortie.

3

En robe du soir, assise à côté d'un homme suprêmement élégant à l'arrière d'une limousine, Vienna aurait pu croire qu'elle allait à une fête, mais elle allait travailler.

Lorsque la limousine s'arrêta et que Michael lui ôta son bandeau, elle découvrit un spectacle extraordinaire : un tapis rouge se déroulait jusqu'à l'entrée d'une superbe bâtisse avec un péristyle de marbre, aux antipodes des immeubles de banlieue, tout en brique crasseuse. Elle y pénétra au bras de Michael et s'extasia devant les lustres, les parquets, les boiseries et les fresques.

— Ne restez pas bouche bée, lui recommanda Michael. Riez, tapez-moi sur l'épaule, remuez-vous. Par exemple, ayez l'air de dire quelque chose de drôle, ou, mieux, quelque chose de coquin.

Vienna sourit.

— Pourquoi moi ? Allez-y, vous ! Dites-moi donc quelque chose de drôle, ou, mieux, quelque chose de coquin !

— Ne faites pas la maligne, lui répondit-il en se penchant pour lui embrasser l'épaule. Tout ce que je vous demande, c'est d'avoir l'air amoureuse. Ce n'est pas la mer à boire.

En riant, elle lui donna une tape sur l'épaule, comme s'il venait de prononcer des paroles un peu osées.

— Je vais faire semblant d'aller aux toilettes, reprit-il. Profitez-en pour faire un tour. Arrangez-vous pour qu'il vous repère. Quand ce sera fait, regardez-le langoureusement. Mais, attention, pas d'initiative inconsidérée. Je ne vous perds pas de l'œil une seconde.

Il lui caressa la gorge, glissa son doigt entre les seins et s'éloigna.

Après avoir franchi la porte, il se dépêcha de remonter le long d'un couloir, rentra par une autre porte et se tint aux aguets dans un coin sombre.

Vienna se faufila lentement entre les gens comme si elle cherchait quelqu'un. Mackey, la voyant seule, s'avança vers elle et bientôt ils se retrouvèrent nez à nez.

Elle lui lança le genre de regard que Michael avait demandé: un peu trop appuyé pour être honnête. Michael examina son ennemi mortel. Il avait une figure étrangement juvénile et sereine pour un type aussi corrompu. Comme d'habitude, il ne portait pas la « tenue correcte exigée » mais un simple costume de ville et un pull. C'était sa manière de proclamer que sa fortune lui permettait de faire tout ce qu'il voulait et qu'il se fichait du protocole.

Pierce regarda carrément dans le décolleté de Vienna et lui sourit d'un air approbateur. Elle adressa un sourire qui laissait entendre qu'elle aussi, elle le trouvait à son goût.

Michael fut incapable d'en contempler davantage. Son sang ne fit qu'un tour. Sortant brusquement de sa cachette, il vint prendre Vienna par le bras et l'entraîna à l'écart.

— Que se passe-t-il? demanda Vienna.

— Rien, tout va bien, vous étiez parfaite, répondit Michael.

Du coin de l'œil, il aperçut Pierce Mackey qui le regardait d'un air narquois, l'air de dire: « Je te la prends quand je veux. »

— Appuyez vos mains contre ma poitrine comme si vous essayiez de me repousser.

Vienna obéit, et Michael en profita pour l'embrasser, lui enfonçant sa langue dans la bouche, autant pour son plaisir que pour faire enrager Pierce Mackey.

Puis il l'embrassa dans le cou, lui mordilla le lobe de l'oreille et, en même temps, chuchota:

— Jetez un coup d'œil dans sa direction.

Ce qu'elle fit. Après quoi, Michael l'entraîna hors de la pièce, non sans un dernier regard vers Pierce Mackey, signifiant : « Pour le moment, elle est à moi. »

Ils traversèrent plusieurs salons avant d'en trouver un vide. C'était une pièce plutôt petite, plongée dans la pénombre, encombrée de meubles rococo. Laissant la porte entrouverte, Michael retroussa la robe de Vienna et, sans plus de cérémonie, lui arracha sa petite culotte. Puis, il l'embrassa de nouveau et elle lui rendit son baiser avec ardeur.

Tout en lui dévorant la bouche, il glissa sa main entre ses cuisses. Les gens passaient dans le couloir, parlant, riant, mais il ne les distinguait que vaguement.

— Quelqu'un pourrait venir, dit Vienna d'une voix entrecoupée alors que Michael s'était mis à couvrir de baisers sa gorge brûlante.

— Quelqu'un nous *verra* peut-être, répondit-il, mais personne ne viendra.

La possibilité d'être surpris les excita et, quand Vienna lui caressa le sexe à travers son pantalon, il ne lui demanda pas d'arrêter, il ne lui dit pas que c'était inutile, qu'il jouait la comédie, qu'il faisait seulement semblant d'avoir envie d'elle. Au contraire, il voulait oublier pour un temps que c'était une mission et faire l'amour avec elle pour le seul plaisir.

Elle ouvrit sa braguette. Michael, se préparant à savourer la suite, renversa la tête en arrière... et aperçut Pierce Mackey, en train de les espionner par l'entrebâillement de la porte.

Il embrassa les seins de Vienna à travers la soie de sa robe, la mordilla jusqu'à ce qu'elle frissonne et, au moment où elle lui empoigna le membre, adressa à son rival un sourire narquois.

Les yeux fermés, loin de se douter que Pierce Mackey l'observait, elle lui manipula doucement le sexe. Il la prit par les fesses et la souleva. Elle retroussa sa jupe, qui se répandit derrière elle comme une traîne, et frotta le gland de Michael contre sa fente humide.

Elle laissa échapper une plainte lorsqu'il la pénétra, juste un peu. Il avait le sexe tout dur, vibrant, palpitant. Soudain, n'y tenant plus, il la plaqua contre le mur et la pénétra d'un seul coup de reins.

D'une main, elle s'agrippait au cou de Michael, de l'autre, elle écartait sa robe et dévoilait tout : l'endroit où leurs deux corps se joignaient, sa motte duvetée, le membre de Michael qui allait et venait.

Elle gémissait, les yeux fermés, les paupières tremblantes, le visage douloureux. Un de ses peignes tomba. Ses cheveux se répandirent. Michael y enfouit son visage. Lorsqu'il se déversa en elle par jets violents, elle se cabra, et un cri de volupté s'échappa d'entre ses lèvres entrouvertes.

Finalement, il rouvrit les yeux et la reposa doucement par terre. C'est alors qu'il se rendit compte que cela faisait déjà un certain temps qu'il n'avait plus songé à la porte mal fermée et à Pierce Mackey embusqué derrière.

4

Ils quittèrent la fête cinq minutes plus tard et, dans la limousine, après lui avoir remis son bandeau, il eut soin de s'asseoir loin d'elle.

Il était furieux contre lui-même car il avait le sentiment d'avoir franchi la ligne jaune, celle qu'il était supposé ne jamais franchir.

Il éprouvait des émotions qui ne lui plaisaient pas, mais alors, pas du tout.

D'où provient l'attirance entre deux êtres? Quel est le secret de cette alchimie? Les atomes crochus, c'est autre chose que du banal désir. Beaucoup plus rare, comme phénomène. Le désir, ça se conjugue facilement entre deux personnes séduisantes: il n'y a qu'à faire l'amour, et le tour est joué. Mais les atomes crochus, c'est une question de caractère, d'harmonie spontanée entre deux personnalités. Les atomes crochus, c'est dur d'en venir à bout.

Certes, Vienna était assez belle pour faire saliver n'importe quel homme, et il n'en était plus à saliver. Elle lui inspirait bien davantage qu'une grossière envie de s'accoupler. Il éprouvait pour elle un sentiment indéfinissable qui ressemblait curieusement à de la tendresse. Il avait envie de la cajoler ou simplement d'être près d'elle.

Et Vienna aussi éprouvait des émotions superflues – ou alors, c'était une excellente comédienne.

Quoi qu'il en soit, il ne devait pas oublier qu'elle était là pour un job, qu'elle était un élément nécessaire au succès d'une mission, un simple accessoire et rien d'autre.

Pourtant, il aurait donné cher pour avoir la liberté de sortir avec elle, en tête à tête, pour le seul plaisir d'être ensemble, sans arrière-pensées ni faux-semblants.

Et la dernière chose qu'il avait envie de faire à cette minute, c'était de la pousser dans les bras de Pierce Mackey.

De retour au château, il lui ôta son bandeau, lui souhaita bonne nuit et la fit raccompagner dans sa chambre. Alors qu'il s'en retournait vers ses appartements, il passa devant le bureau de son frère, dont la porte était grande ouverte. Devlin le vit et l'appela. Oh, il savait de quoi il avait l'air ! Il savait de quel genre de parfum il était imprégné. Il aurait pu faire celui qui n'avait rien entendu et se dépêcher de rentrer chez lui pour se laver et composer son visage avant que Devlin ne devine ce qui se passait.

Il choisit de faire demi-tour et entra dans le bureau, affichant fièrement sa mine d'amant comblé.

Devlin se leva. Il avait à la main un grand verre ballon à moitié rempli de cognac.

— Dans la vie, il n'y a véritablement que deux sortes d'erreurs, dit-il sentencieusement.

Michael se passa la main dans les cheveux.

— Je les connais.

— Je vais quand même te les rappeler, insista Devlin. La première sorte d'erreur concerne l'argent. La seconde concerne les femmes. Je sais que tu n'as pas un métier facile, poursuivit-il avec une pointe d'ironie. Tu dois être au plus près de nos recrues, étudier leur caractère, leur tempérament, pour être à même de les façonner et de les entraîner. Pourtant, n'oublie jamais la règle du jeu : tu les prépares et puis après tu les lâches dans la nature.

— Je le sais très bien, Devlin. J'y pense tout le temps.

— Tant mieux, dit Devlin d'un ton sec. Je suppose que c'est rassurant de savoir qu'elle est prête à baiser n'importe où, n'importe quand, avec n'importe qui.

— *Puf !* fit Michael, dégoûté par ce qu'il venait d'entendre.

Devlin plissa les yeux d'un air mauvais.

— C'est quoi, ce *puf*? Je ne te permets pas!

Au lieu de se formaliser, Michael hocha la tête d'un air navré.

— Vas-tu laisser la victoire à Pierce? demanda-t-il sur un ton raisonnable. Parce que, s'il réussit à nous monter l'un contre l'autre, c'est lui le grand vainqueur.

— Il ne gagnera pas, je te le promets, dit Devlin entre ses dents.

Il crispait sa main autour de son verre et ses phalanges étaient blanches.

— Écoute, répondit Michael, nous sommes ensemble dans cette affaire. Moi aussi, j'ai envie de me venger. Alors, dirige ta colère vers quelqu'un d'autre, s'il te plaît, pas vers moi.

Devlin donna l'impression de mollir. Ses épaules s'affaissèrent. Il vida son verre d'un trait et s'approcha du bar pour le remplir. Dieu seul savait ce qu'il avait déjà ingurgité ce soir!

Michael regarda son frère longuement, attentivement. Pour finir, il clappa de la langue.

— *Tss-tss,* fit-il, je ne l'avais pas remarqué jusqu'ici... c'est sans doute parce que j'avais le nez dessus.

— Remarqué quoi?

— À quel point cette histoire t'a détruit. Quand j'y pense, tu n'étais pas comme ça *avant*.

Devlin but une nouvelle gorgée de cognac et toisa Michael.

— Si tu as l'impression que je t'en veux, je suis navré.

— Ce n'est pas une impression. Tu m'en veux vraiment. Tu m'en veux depuis le début. Je n'ai pas protesté parce que je me sentais coupable. D'ailleurs, je me sens toujours coupable. En fait, tu as tout fait pour que je me sente coupable.

— Ne parlons pas de ça, grommela Devlin.

— Parlons-en, au contraire.

— Alors, soit, parlons-en. Je ne vois pas pourquoi tu te sens coupable. Je ne t'accuse de rien.

— Bien sûr que si. Tu veilles à ce que ce soit toujours entre nous. Tu voudrais que je paie jusqu'à la fin de mes jours pour ce qui est arrivé…

La voix de Michael se brisa mais il continua quand même.

— Je suis obligé de reconnaître que c'est moi qui ai tué Julia. Mais, bon Dieu, Devlin, tu sais aussi bien que moi que c'était un accident ! Pourquoi faut-il que je le répète ? Tu étais là, tu as tout vu. J'étais en train de lutter avec Pierce, et le coup est parti. J'essayais de vous empêcher de vous entre-tuer, Pierce et toi…

— Je te remercie de me le rappeler, dit Pierce d'un air sombre.

— J'ai toujours été de ton côté, poursuivit Michael. J'ai toujours été loyal envers toi. Fais l'effort de te souvenir que c'est Julia qui t'a trahi. Je tenais l'arme qui l'a tuée, j'ai pressé la détente mais, à l'instant où elle a reçu la balle, elle aurait déjà dû être morte pour toi.

Devlin accusa le coup et, après un long silence, il dit :

— Je voudrais passer l'éponge, Michael, je te jure que c'est vrai. Mais je n'y arriverai pas tant que cette affaire ne sera pas terminée. Ce qui nous ramène à Vienna. Tôt ou tard, il va falloir que tu la lui donnes.

Michael détourna les yeux.

— Fais ça le plus tôt possible, poursuivit Devlin. Avant d'avoir eu le temps de t'attacher à elle. Qu'elle accomplisse sa mission ! Après cela, sans doute que nous pourrons enfin passer à autre chose.

Devlin sortit de la pièce sans attendre de réponse. Michael resta seul en face de la carafe de cristal restée ouverte sur le bar. Il pensait que, quand Vienna aurait couché avec Pierce Mackey, il en serait peut-être au même point que son frère.

5

L'ouverture de la saison théâtrale était un grand événement de la vie mondaine. Pierce y serait forcément. Ce qui signifiait que Michael et Vienna se devaient d'y être aussi. Michael avait loué une loge. L'objectif de la soirée était de se montrer et, cette fois-ci, d'établir le contact.

Ils avaient prévu que Michael serait aux petits soins pour Vienna pendant toute la représentation, et c'est ce qu'il fit. Il ne cessa de la toucher, il rapprocha sa chaise pour lui parler à l'oreille, il l'embrassa dans le cou. Vienna, quant à elle, était censée faire celle que ça agaçait. Alors que ça lui plaisait beaucoup, en fait. Et, lorsqu'elle se tournait vers la loge de Pierce Mackey tandis que Michael la bécotait et la caressait, il fallait qu'elle se force pour avoir l'air de s'ennuyer.

À l'entracte, Vienna, le dos raide, singea l'exaspération en s'éventant vigoureusement avec le programme tout en échangeant des regards lourds de sous-entendus avec l'ennemi juré de Michael.

Après quoi, elle se pencha et murmura :

— Je pense que c'est le moment. Qu'en dites-vous ?

Michael acquiesça d'un hochement de tête, et Vienna sortit de la loge pour aller se mêler à la foule dans le hall. Elle s'installa à l'écart, près d'une fenêtre, et colla sa joue contre la vitre glacée.

— Quel est votre nom ? demanda une voix d'homme dans son dos.

Elle ne se demanda même pas qui c'était. Elle pivota et se retrouva en face de Pierce Mackey, si près qu'elle eut une montée d'adrénaline.

— Je m'appelle Vienna, répondit-elle avec un gracieux sourire.

— Eh bien, Vienna, murmura-t-il, que faut-il que je fasse pour vous convaincre de venir voir la fin de cette charmante pièce dans ma loge? Me ferez-vous l'honneur de vous joindre à moi?

Vienna parut stupéfaite.

— Bien sûr que non, répondit-elle en riant d'une proposition aussi extravagante. Vous savez avec qui je suis. Les gens pourraient s'étonner.

Il leva les sourcils.

— C'est votre principale objection? Les gens pourraient s'étonner?

— Vous avez parfaitement compris ce que je veux dire. On jaserait. Je sais qui vous êtes. Je me suis renseignée après vous avoir aperçu l'autre fois.

— Je devrais sans doute me sentir flatté d'avoir éveillé votre curiosité.

Vienna s'adossa à la fenêtre.

— Ne vous emballez pas. Je me suis renseignée de la même façon sur tous les gens qui assistaient à cette soirée. Tout cela est nouveau pour moi.

— Vous n'êtes pas d'ici?

— Je voulais surtout dire que je ne suis pas habituée aux gens de la haute, dit Vienna en tirant sur l'étoffe de sa robe au niveau de la taille comme si elle était engoncée.

Pierce la regarda avec douceur et dit:

— Vous êtes très belle.

Son visage exprima soudain une profonde tristesse. Vienna, qui ne s'attendait pas à cela, faillit se laisser émouvoir. Si, comme le prétendaient les frères Kingston, elle était le portrait craché de Julia, alors, tout ce qu'il avait fait pour la voler à Devlin, il l'avait peut-être fait par amour...

Mais, bon, elle n'avait pas à se mêler de ça!

Pierce s'était ressaisi et souriait de nouveau d'un air coquin.

— D'où êtes-vous?

— De la banlieue.

Il ouvrit des yeux ronds.

— Intéressant.

— C'est aussi ce que je crois. Vous la connaissez bien. Michael et son frère aussi, du reste.

Pierce la dévisagea, tout en palpant machinalement à travers sa chemise le bijou qui pendait à son cou. Elle savait qu'il était en train de se demander si elle était aussi innocente qu'elle en avait l'air ou si les Kingston se servaient d'elle pour lui tendre un piège.

Elle lui tourna le dos et fit mine de regarder par la fenêtre, l'indifférence étant encore le meilleur moyen de piquer sa curiosité.

— Il y a longtemps que vous êtes en ville ? demanda-t-il.

— À peu près un mois.

— Quel bon vent vous amène ?

— Michael, répondit-elle. Je vis avec lui.

— Michael est un vieil ami.

Vienna se retourna brusquement.

— Vous n'êtes pas amis, dit-elle. Je sais tout ce qu'il y a à savoir sur votre compte.

— Dans ce cas-là, pourquoi me parlez-vous ? demanda-t-il à mi-voix.

Elle se redressa fièrement.

— Je parle à qui je veux.

— Michael ne va pas être content.

— Tant pis pour lui ! Je ne suis pas sa chose !

— Ah ! Le torchon brûle ? Déjà ? Vous vous êtes dit que vous aviez décroché le gros lot, pas vrai ? Sortie du ruisseau par un millionnaire ? Pour une très belle fille comme vous, c'est encore ce qui pouvait vous arriver de mieux. Sauf que l'argent ne fait pas le bonheur, n'est-ce pas ?

Il s'appuya d'une main contre la vitre et se pencha vers elle.

— Je ne suis pas comme les frères Kingston, lui dit-il à l'oreille. Avec moi, les femmes sont libres. L'amour n'est pas une prison, Vienna. À l'occasion, demandez à Devlin ce qu'il en pense.

Au mot de « prison », Vienna tressaillit. « Sait-il qui je suis ? » se demanda-t-elle.

— J'ai entendu dire que vous lui aviez volé Julia.

Le visage de Pierce s'assombrit brusquement.

— Elle est venue vers moi de son plein gré, dit-il. Je n'ai pas eu besoin de la voler. Qui n'entend qu'une cloche n'entend qu'un son.

— Alors, racontez-moi.

— Quoi ?

— Votre version de l'histoire.

Il parut surpris qu'elle soit prête à l'écouter.

— Eh bien, pour ce qui est de Michael et de Devlin, leurs parents étaient comme mes parents. Ils m'avaient adopté. Pour eux, j'étais leur troisième fils. Michael, Devlin et moi, nous étions inséparables. Ensemble, nous avons pris la succession des parents. C'était une petite chose de rien du tout comparée aux affaires que nous brassons maintenant. Nous avions de l'ambition. Nous rêvions de devenir follement riches. Et puis, les choses se sont gâtées.

Vienna éprouva un curieux sentiment de compassion envers Pierce. Elle aussi, elle était orpheline. Ils se regardèrent un long moment sans parler.

— Vous n'êtes pas comme eux, dit soudain Pierce en la considérant d'un air bienveillant, la tête penchée sur le côté.

— Je ne vois pas ce que vous voulez dire.

— J'aimerais que vous veniez avec moi dans ma loge.

Elle regarda autour d'elle nerveusement, cherchant des yeux Michael, mais elle ne le vit pas. Il était pourtant à l'affût quelque part, en train de l'observer. Elle en était certaine.

— Je ne pense pas que ce soit possible.

— Vous me plaisez beaucoup, et j'ai l'impression que je ne vous déplais pas. J'aimerais vous revoir.

— Me revoir ?

Elle rit en secouant la tête, comme si l'idée lui paraissait invraisemblable.

— Qu'y a-t-il de drôle ?

— Mais je suis avec Michael !

Pierce recula d'un pas.

— Et vous croyez pouvoir lui faire confiance ?

— Oui, répliqua Vienna sur un ton catégorique. Et alors ?

— Et alors, vous avez tort. Les femmes, il les jette après s'en être servi comme son frère jette les bouteilles après les avoir vidées.

Une sonnerie retentit, annonçant le deuxième acte. Pierce tendit galamment la main à Vienna.

— Michael va venir me chercher, dit-elle, le cœur battant.

— Et il ne vous trouvera pas… La belle affaire !

Avec une lueur malicieuse dans le regard, il se pencha et dit tout bas :

— Évadez-vous un instant.

S'évader !

Vienna lui donna la main et se laissa entraîner loin de la foule jusqu'à un recoin dissimulé par de lourds rideaux. Une fois là, il la plaqua contre le mur. Pierce Mackey était un homme très sensuel. Il aimait les femmes à la fureur, et elles le sentaient. Le voir de loin, c'était déjà quelque chose, mais, de près, c'était une autre paire de manches. Vienna comprenait facilement que Julia ait pu se laisser fasciner par lui.

— Vous croyez que je vais vous laisser me toucher ? demanda-t-elle.

— Cela se pourrait bien, lui répondit-il en défaisant doucement le nœud de satin qui tenait ensemble les deux moitiés de son bustier. Ce n'est pas parce que je suis l'ennemi des frères Kingston que je suis nécessairement un sale type.

Tout en parlant, il glissa un doigt dans le décolleté, mais elle l'arrêta avant qu'il n'aille plus loin.

— Pas *nécessairement*, répéta-t-elle en soulignant le mot.

— Les parents Kingston me considéraient comme leur fils, je vous l'ai déjà dit. Ils souhaitaient que j'hérite d'un tiers de leur petit pécule. Mais ils n'avaient rien mis par écrit. Michael et Devlin ne l'entendaient pas de cette oreille. À la mort de leurs parents, ils m'ont dit qu'ils ne voulaient pas disperser le patrimoine et ils ne m'ont rien donné. Ça ressemble bougrement à une arnaque, qu'en pensez-vous ?

— Alors, vous avez monté votre société pour leur faire de la concurrence et vous avez chipé la fiancée de Devlin.

— C'est elle qui m'a choisi, répliqua-t-il en avançant ses lèvres, mimant un baiser.

— Et, aujourd'hui, vous aimeriez bien recommencer avec la fiancée de Michael ? murmura Vienna.

Les lumières dans le foyer du théâtre se mirent à clignoter.

— Nous devrions retourner à nos places, reprit-elle en essayant de se dégager. Ça va recommencer.

— Et alors ?

Pierce réussit enfin à glisser sa main dans le bustier de Vienna. Il lui toucha un sein et lui titilla le mamelon avec le pouce. Il savait y faire. Ses caresses étaient étonnamment douces. Elle en éprouva malgré elle un certain plaisir. Elle aurait pu se mépriser mais elle préféra se dire qu'il n'y avait pas de quoi dramatiser. Ce qu'elle faisait, c'était pour Michael. Il lui avait sauvé la vie. Elle avait une dette envers lui. Il voulait qu'elle joue un rôle ; elle le jouait, un point, c'est tout. Il l'envoyait se faire tripoter par son pire ennemi ; soit, elle se faisait tripoter par son pire ennemi. C'était navrant, mais que pouvait-elle faire d'autre ?

— Même si j'en avais envie, ce ne serait pas malin, dit-elle. Michael tient à moi.

— Vous n'en avez pas l'air convaincue.

Pierce se frotta contre elle pour lui faire sentir son sexe. Ça semblait si gros et si dur à travers l'étoffe qu'elle laissa échapper un murmure d'approbation.

— Il faut que je m'en aille. Michael est sans doute déjà en train de me chercher.

— Sans doute, maugréa Pierce.

— Je ne peux pas faire ça, dit-elle.

Mais, dans le même temps, elle se colla contre lui.

— Dites-moi que vous en avez envie, dit Pierce.

— Ce serait mal.

— Dites-moi que vous en avez envie, répéta-t-il avec un accent douloureux.

Vienna hoqueta de surprise et renversa la tête en arrière alors que la bouche de Pierce, brûlante et vorace, s'abattait sur sa gorge.

— J'en ai envie, murmura-t-elle.

Quelle ne fut pas sa surprise lorsque Pierce, au lieu de prendre cela pour un encouragement, lui rajusta sagement les deux moitiés de son bustier et refit le nœud !

— Je veux vous revoir, dit-il.

— Ça ne va pas être possible, répondit-elle en reprenant son souffle.

Il la prit par les poignets et lui secoua les bras avec instance.

— Laissez-moi vous chérir comme Michael ne le fera jamais.

Elle se démena pour essayer de se libérer et redit piteusement :

— Ça ne va pas être possible.

— J'ai un yacht amarré dans le port. Il s'appelle le *Julia*. Venez m'y rejoindre demain soir à vingt heures... Vous verrez, je me mettrai en quatre pour satisfaire vos moindres désirs... Dites-moi que vous viendrez...

Elle le regarda avec des yeux ronds.

— Dites-moi que vous viendrez, répéta Pierce. Je sais que vous en avez envie.

— D'accord, dit-elle dans un souffle, je viendrai...

Il la lâcha, et elle s'enfuit vers le hall. Michael l'attendait là, seul au milieu d'une immense étendue de moquette rouge. Elle marcha vers lui et lança d'une voix haletante :

— Je suis désolée, je ne me sens pas très bien.

Il voulut l'embrasser sur le front mais elle se déroba et sortit du théâtre en courant.

Michael l'observa tandis qu'elle attendait la limousine, au sommet du perron, toute frissonnante dans l'air du soir. Elle ne songeait pas à s'enfuir, elle n'essayait même pas de se repérer. Elle attendait, c'est tout.

Il la rejoignit et la serra contre lui.

— Est-ce qu'il vous a fait quelque chose? Est-ce qu'il a été violent?

— Il s'est comporté comme prévu, répondit-elle suavement. Il m'a abordée.

La limousine arriva. Une fois à l'intérieur, Vienna resta figée, les bras autour du corps. Michael fut pris d'un accès de fureur.

— S'il vous a prise de force, je…

— Il n'a pas eu besoin, trancha-t-elle. J'ai tenu mon rôle. J'ai fait exactement tout ce que vous auriez voulu que je fasse.

— Vous n'avez quand même pas…

Elle le regarda comme s'il était devenu fou.

— Non! Bien sûr que non!

Elle ajouta avec amertume:

— Je ne me l'infligerai que lorsqu'il n'y aura plus moyen de faire autrement.

Michael se détourna et fit semblant de regarder par la fenêtre. Il serrait les dents et les poings. C'est alors qu'il se rendit compte qu'il avait oublié de lui bander les yeux. Il devenait négligent.

Il récupéra le large bandeau noir dans le tiroir au-dessus du minibar.

— Allez-y, dit-elle sur un ton résigné. Je m'en moque.

Après lui avoir bandé les yeux, il lui demanda de s'allonger sur la banquette et lui releva sa robe, dévoilant ses longues jambes gainées de soie noire, ses cuisses blanches et rondes. Vienna se mordit nerveusement les lèvres.

— M... Michael? balbutia-t-elle.

Il la fit taire. Puis, retroussant la robe jusqu'au ventre, il caressa la dentelle du porte-jarretelles. Elle ne portait pas de culotte. Il se pencha et lui passa doucement ses doigts dans la toison. Vienna ravala son souffle et ouvrit une bouche ronde comme un « Oh ».

— Est-ce qu'il vous a excitée? demanda Michael.

Elle se crispa.

— Quoi? Ne me dites pas que vous êtes jaloux!

Avant tout, il la désirait mais, s'il était honnête avec lui-même, il devait reconnaître que, pour une part, oui, il était mû par la jalousie.

— J'ai simplement envie de vous faire jouir, dit-il.

Il commença par lui caresser l'intérieur des cuisses.

— Que voulez-vous que je fasse? demanda-t-elle d'une voix entrecoupée.

— Rien.

Il lui écarta les jambes jusqu'à ce qu'elle se retrouve entièrement exposée à ses regards. Elle avait déjà ses petites lèvres toutes mouillées et qui luisaient. Brûlant de désir, Michael se pencha et lui promena la pointe de sa langue à l'intérieur de la cuisse, du genou jusqu'à l'aine, lentement. Elle se cambra, s'offrit. Alors, il la lécha, une caresse lente, langoureuse, qui la fit soupirer et gémir et crier.

Il glissa sa langue dans le sillon, allant et venant en faisant varier les rythmes. Vienna balança sa tête à droite et à gauche.

— Michael, je...

— Chut! Ne pensez plus à rien! Savourez!

— M... mais... pour... pourquoi... balbutia-t-elle.

Le reste de sa phrase fut perdu.

Le cœur de Michael tambourinait dans sa poitrine tandis qu'il frottait sa bouche contre le sexe de Vienna, insinuant sa langue dans les replis chauds et humides, suçotant les petites lèvres, les tétant, les faisant vibrer, aspirant le clitoris, le roulant délicatement entre sa langue et ses lèvres comme un bonbon.

Les cuisses grandes ouvertes, elle le suppliait de ne pas arrêter. Il avait la tête lourde à cause du champagne qu'il avait bu en attendant qu'elle revienne, fou de colère et de jalousie à l'idée qu'elle était dans les bras de Pierce. Il avait vidé une flûte après l'autre sans les compter en songeant à ce qu'il lui ferait quand il la récupérerait.

Maintenant, il mettait tout son talent à la faire jouir, frictionnant le clitoris avec de plus en plus de vigueur.

Au comble de la volupté, Vienna poussa une kyrielle de petits cris, et son corps fit des soubresauts sur la banquette. Déjà, après son instructive conversation avec la maquilleuse, elle avait commencé à reconsidérer ses vagues projets d'évasion. C'est à ce moment-là qu'elle y renonça définitivement.

Devant le château, Michael lui ôta son bandeau et, lorsque le chauffeur ouvrit la portière, Devlin était là.

— Comment cela s'est-il passé ? demanda-t-il sans préambule.

— Je t'en prie, Devlin, pas maintenant, protesta Michael, encore sur son nuage.

— Si, *maintenant* !

— Tu es sûr que ça ne peut pas attendre demain ?

Devlin prit un air suspicieux.

— Tout à fait sûr. Je te rappelle qu'il s'agit de *business*, Michael. De business et *rien d'autre*.

— Je le sais fort bien, dit Michael.

— Justement, j'en doute.

— Eh bien, tu as tort, répondit Michael d'un ton sans contredit.

« Et, ajouta-t-il en pensée, c'est précisément pour ça que je ne veux pas en parler maintenant. »

Sur ce, il contourna son frère, grimpa quatre à quatre les marches du perron et disparut dans le château.

6

Le lendemain matin, Vienna frappa à la porte des appartements de Devlin Kingston. Elle était convoquée. Une secrétaire la fit entrer, l'annonça et se retira. Vienna ne trouva derrière le bureau pour l'accueillir que le dos d'un grand fauteuil en cuir noir, dont l'occupant était tourné vers une baie vitrée.

Brusquement, un bras apparut au-dessus du dossier du fauteuil : manche noire, chemise à poignets mousquetaire d'une blancheur immaculée, discrets boutons de manchettes, en platine sans aucun doute, le genre d'ostentation dans la modestie que seuls peuvent se permettre les très riches. Et de longs doigts exempts de bagues et des ongles manucurés.

L'index plié lui ordonna de s'approcher.

Le fauteuil pivota lentement. Devlin Kingston entra tout de suite dans le vif du sujet.

— Sachez que vous n'êtes pas la première et que vous ne serez pas la dernière.

— Je ne comprends pas ce que vous voulez dire, répondit Vienna.

Devlin lui fit signe de se taire.

— Mon frère a un côté preux chevalier qui m'exaspère. Il a un faible pour les jeunes filles en détresse. Ça le perdra.

— Ça n'est pas plutôt vous qui êtes ravagé à cause d'une nana ? rétorqua Vienna avec aplomb.

Devlin devint tout rouge.

— C'est vrai que c'est moi, répondit-il d'un ton cassant. Les femmes étaient mon point faible également…

Et c'est pourquoi elles ne le sont plus. Alors, écoutez-moi bien. Concentrez-vous sur votre mission. Votre mission et rien d'autre. Sinon, quelqu'un en paiera les conséquences. Les erreurs ont toujours des conséquences, et il faut que quelqu'un paie.

— Que se passe-t-il ici ? demanda Michael, qui venait d'entrer.

Il s'avança dans la pièce. Il semblait de mauvaise humeur. À mi-distance de Devlin et de Michael, Vienna promena de l'un à l'autre des regards scrutateurs et vaguement amusés.

Devlin haussa les épaules dans sa veste en cachemire.

— Laissez-nous, dit-il à Vienna.

Alors qu'elle quittait la pièce, Michael lui jeta un coup d'œil qui signifiait : « Ne vous en faites pas, je suis de votre côté. » Les hommes peuvent exprimer toute sorte de choses avec des mots : des idées qu'ils ne pensent pas toujours, des sentiments qu'ils n'éprouvent pas toujours, mais le langage des yeux, lui, ne ment jamais. Avant de sortir, elle lui lança un dernier regard, alors qu'il s'apprêtait à affronter son frère, et elle ressentit un pincement de cœur. « Il tient à moi, se dit-elle. Il tient vraiment à moi. Mais est-ce que ça suffira ? »

Michael attendit que les pas de Vienna s'éloignent un peu avant de se retourner vers son frère.

— Alors, quoi ?

— Tu sais aussi bien de quoi il s'agit, dit Devlin. Je l'ai fait venir pour lui rappeler d'être sérieuse.

— Tu crois qu'elle risquait de l'oublier ? Pour elle, cette mission, c'est une question de vie ou de mort.

— Tu penses vraiment qu'elle en est consciente ?

— Tu n'avais pas le droit de t'en mêler. Elle est sous ma responsabilité.

— Cette mission nous concerne tous les deux, il me semble.

— Cette mission ! Cette foutue mission ! Je ne suis pas comme toi, Devlin. Il n'y a peut-être plus de place pour l'amour dans ta vie mais, moi, j'y crois toujours.

— Qui parle d'amour ? Ne me dis pas que tu es amoureux de cette fille !

Devlin semblait véritablement horrifié.

— Non, je ne suis pas amoureux d'elle. Enfin… je ressens… bref, elle a quelque chose de pas banal… je ne sais pas comment dire…

— Ce n'est pourtant pas dur à expliquer, grommela Devlin. Tu es à deux doigts d'enfreindre la règle.

— Putain de règle ! murmura Michael.

Devlin se mit à respirer bruyamment par le nez, comme quelqu'un que la colère gagne et qui fait des efforts pour se maîtriser.

— Les femmes, dit-il, c'est une de perdue, dix de retrouvées. Les liens du sang, c'est autre chose.

Il se leva, s'approcha du bar où, malgré l'heure matinale, il y avait une bouteille de champagne entamée dans un seau à glace, et il remplit son verre.

— Nous avions un grand principe, reprit-il. Ne jamais se laisser troubler par une femme. Nous étions censés nous venger de Pierce.

Il posa sa flûte sur le bar et prit Michael par les épaules.

— Je veux ma vengeance, Michael, dit-il sur un ton solennel. Ne gâche pas tout en t'attachant à cette fille. Tu dois être prêt à la perdre sans espoir de retour.

« C'est trop tard, pensa Michael. Je suis déjà attaché à elle. »

— *Sans espoir de retour*, répéta Devlin en insistant lourdement. Tu la laisses faire le boulot pour lequel nous l'avons achetée, sinon, c'est encore Pierce qui gagne.

Michael devint livide.

— Devlin, dit-il d'une voix faible et altérée, la mission tient toujours. C'est juste que…

Mais Devlin ne consentit pas à en écouter davantage. Son verre dans une main, sa bouteille dans l'autre, il sortit du bureau en titubant un peu.

7

Les gardes du corps de Pierce Mackey prirent leur temps pour fouiller le sac à main de Vienna et son baise-en-ville. Ils ne trouvèrent rien à redire à son bâton de rouge, ses pastilles de menthe, son argent, ses clés. Ils restèrent de marbre devant la lingerie toute neuve – déshabillé, porte-jarretelles, bas résille, string... Finalement, ils l'autorisèrent à monter à bord et la conduisirent jusqu'à leur patron.

Le yacht de Mackey était un modèle du genre. Tout en boiseries luisantes, cuir blanc, cuivre rutilant et cristal. Vienna embrassa d'un coup d'œil la cabine, assez grande pour impressionner, assez petite pour créer une illusion d'intimité malgré la demi-douzaine de gorilles sur le pont. Elle aurait pu s'y sentir à l'aise sans la présence du lit.

Pierce Mackey était indéniablement un bel homme mais il lui manquait quelque chose que les frères Kingston possédaient – la classe. Cette idée de l'inviter sur son yacht pour la séduire... quel manque d'originalité ! Sur la table, des roses rouges, deux bouteilles de champagne dans un seau à glace en argent, deux paquets-cadeaux. Pierce portait un pantalon de lin et une chemise blanche à col ouvert. Il était pieds nus dans des mocassins de cuir blanc. La décontraction faite homme.

— Soyez la bienvenue, Vienna, dit-il en lui tendant la main pour l'aider à garder l'équilibre sur le plancher qui tanguait un petit peu.

Il l'embrassa sur les lèvres, légèrement d'abord, avant de lui glisser sa langue dans la bouche.

Lorsqu'il s'écarta, elle exhala un faux soupir de déception. Pierce le prit pour un vrai et la poussa vers le lit.

— J'ai demandé à mes hommes de larguer les amarres dès que vous seriez à bord.

En entendant ronfler le moteur, Vienna eut l'impression d'un piège qui se refermait sur elle. Par un hublot, elle vit le rivage qui commençait à s'éloigner inexorablement. Comment allait-elle s'enfuir une fois sa mission accomplie ? On ne s'échappe pas facilement d'un yacht en pleine mer quand on ne sait pas marcher sur l'eau !

— Vous avez l'air nerveuse, murmura Pierce. Que diriez-vous d'une coupe de champagne ? Ça vous aiderait peut-être à vous détendre.

— Volontiers.

Il sortit l'une des deux bouteilles du seau à glace, la déboucha et remplit deux coupes. Ils trinquèrent. Vienna but une petite gorgée et puis, avec le goût du champagne sur ses lèvres, elle l'embrassa. Après s'être laissé faire un moment, il reprit l'initiative, la bécotant dans le cou. Elle renversa la tête en arrière pour lui faciliter la tâche.

Alors, il attrapa de nouveau la bouteille et lui versa du champagne sur la gorge. Vienna poussa un petit cri de surprise. La sensation de froid lui fit ravaler son souffle. Mais, tout de suite après, elle se mit à pousser des gémissements voluptueux tandis que Pierce lapait le champagne qui avait coulé entre ses seins.

— Il n'y a pas à dire, les Kingston ont toujours eu bon goût en matière de femmes, susurra-t-il en s'échauffant, ses gestes de plus en plus fébriles, son sexe déjà gros et dur contre la cuisse de Vienna.

Sa robe mouillée collait à ses formes, la rendant encore plus désirable. Elle s'aperçut que Pierce était en train d'ouvrir sa braguette.

— Attendez ! dit-elle.

— Pourquoi ?

— Parce que j'ai apporté de jolis dessous que j'aimerais étrenner avec vous.

— Je peux faire l'amour plusieurs fois de suite, dit-il en la prenant par les hanches. Pour l'instant, j'ai trop envie de vous pour attendre. Vous mettrez vos fanfreluches plus tard.

— Si je me souviens bien, vous avez promis de vous mettre en quatre pour satisfaire mes moindres désirs, rappela-t-elle avec un sourire enjôleur. J'ai très envie d'être belle pour vous.

Ce dernier argument le rendit docile. S'écartant un peu, il lui pinça le menton.

— Soit, concéda-t-il, allez-y! À vous entendre, ça doit être quelque chose de vachement bandant.

Comme pour le remercier, elle l'embrassa sur la poitrine, et puis, en piquant un baiser tous les centimètres, elle descendit le long de son ventre. Mais elle eut soin de s'arrêter juste au-dessus de son sexe et, malgré ses grognements de protestation, elle prit son bagage et courut se réfugier dans la salle de bains.

Après avoir tiré le verrou, Vienna s'assit sur les W-C et se prit la tête dans les mains. Bon Dieu! Les Kingston voulaient la bague mais ils voulaient surtout que Pierce éprouve à son tour l'amertume d'avoir été trahi par une femme. Seulement, Pierce Mackey n'éprouvait pas le moindre sentiment. Il voulait juste coucher avec la petite amie de Michael une fois ou deux. Il ne cherchait même pas à être délicat : la preuve, il s'était précipité sur elle sans même attendre d'être sorti de la marina!

Oui, les frères Kingston s'étaient trompés sur le compte de leur vieil ami. Pierce Mackey n'était pas homme à s'enflammer pour n'importe quelle jolie femme qui lui tombait dans les bras. Le plus drôle, c'est qu'il avait sans doute aimé Julia.

Vienna jeta un coup d'œil vers la porte qui la séparait encore de Pierce. Si elle couchait avec lui ce soir, il gagnait sur tous les tableaux.

L'idéal, naturellement, serait de parvenir à récupérer la bague sans être obligée de se donner. « Ah, Michael, Michael! murmura-t-elle. Tu aurais dû m'empêcher de venir ici. Tu aurais dû faire une croix sur cette foutue bague et me garder pour toi tout seul ! »

La mort dans l'âme, elle ôta sa robe trempée de champagne et enfila son uniforme de séductrice : un porte-jarretelles et des bas résille, un string, un déshabillé translucide – le tout *noir*.

Maintenant, au travail.

Elle s'accroupit et ouvrit sans bruit la porte du placard sous le lavabo. Il n'y avait plus qu'à espérer que les Kingston n'aient pas graissé la patte à un incompétent. « Voyons voir ! » Des éponges, de la poudre à récurer, des brosses, du savon liquide… et une grosse boîte de Kleenex.

Elle constata avec soulagement que la boîte était anormalement lourde. Soulevant les premiers mouchoirs, elle le vit. Il était bien là, comme promis. Un pistolet.

— Vienna ? cria Pierce, qui commençait à s'impatienter.

Elle se figea. Dans ses veines, son sang charriait plus d'adrénaline que d'oxygène.

— Je suis presque prête.

Elle s'assura que le pistolet était chargé avant de le cacher dans sa robe roulée en boule. Puis elle sortit et s'immobilisa dans l'encadrement de la porte.

— Voilà ! s'exclama-t-elle en prenant la pose. Je me sens mieux dans ma peau comme ça.

Pierce fit mine d'éprouver un saisissement et tomba assis sur le bord du lit en portant la main à son cœur et en s'exclamant avec grandiloquence :

— Ah, vous me tuez !

Elle posa doucement sur la table de chevet le pistolet enveloppé dans la robe.

— Vous n'avez encore rien vu, répondit-elle avec une ironie qu'elle était la seule à pouvoir apprécier à sa juste valeur.

Dès qu'elle fut à sa portée, il la renversa sur le lit et se coucha sur elle.

Il écarta le déshabillé. Vienna l'attira contre sa poitrine. Il se mit à lui lécher les seins. La bague se balança au bout de la chaînette qu'il avait autour du cou… Si l'on pouvait parler d'une chaînette, car les maillons étaient vraiment gros et paraissaient solides.

Vienna lui passa la main dans les cheveux. Il l'embrassait sur la bouche. Tout en poussant des gémissements censés trahir son plaisir, elle lui palpa la nuque. C'est ainsi qu'elle se rendit compte qu'elle n'aurait pas affaire à un fermoir ordinaire ; les deux extrémités de la chaîne étaient reliées par un cadenas. Un cadenas minuscule, un cadenas bijou mais un cadenas quand même. C'est-à-dire, robuste et qui s'ouvrait avec une clé.

— Qu'est-ce que vous préférez ? lui murmura-t-il à l'oreille.

— J'aime bien être au-dessus.

Elle le repoussa, le fit rouler jusqu'à ce qu'il se retrouve sur le dos et le chevaucha. Pierce sourit.

— C'est bien, dit-il.

Il tendit la main, avec l'intention évidente de la caresser entre les jambes.

— C'est très bien, confirma Vienna.

Et elle lui donna un grand coup de poing en pleine figure. Le bras de Pierce retomba mollement sur le lit. Elle crut entendre du bruit derrière elle et se retourna. Le rai de lumière sous la porte s'effaça pendant une fraction de seconde. Quelqu'un venait de passer dans le couloir.

— Oh, oui, si tu veux, mon chéri ! s'écria-t-elle pour donner le change.

Tant qu'elle y était, elle rit bêtement. Elle gloussa. Elle poussa même un cri d'extase pour faire bon poids. La lumière clignota de nouveau entre le bas de la porte et le sol, et les bruits de pas s'éloignèrent.

Pierce était K.-O. Elle chercha des yeux quelque chose qui ressemble à une petite clé et ne vit rien, ce qui ne la surprit pas outre mesure. Alors, elle prit une épingle dans ses cheveux, la plia et essaya de forcer la serrure du cadenas. « Michael aurait mieux fait de m'apprendre des trucs à la McGyver au lieu de ne penser qu'à faire l'amour », se dit-elle.

Vienna remua l'épingle dans la serrure, de plus en plus nerveusement, de plus en plus maladroitement. Des gouttes de sueur lui dégoulinaient dans le dos. Pierce s'agita. Elle se souvint de pousser de nouveaux gémissements et de nouveaux cris pour amuser les gardes. Le temps pressait. Ils allaient bien finir par se rendre compte que leur boss ne s'exprimait pas beaucoup.

L'épingle se cassa. Vienna la jeta et regarda autour d'elle, à la recherche de Dieu sait quoi. Elle sursauta lorsqu'un garde frappa à la porte.

— Patron ? Désolé de vous déranger. Vous avez raté le dernier compte rendu de situation.

Il avait raté *quoi* ? Depuis quand les grands de ce monde font-ils des « comptes rendus de situation » à leurs gardes du corps pendant leurs parties de jambes en l'air ? Vienna se força à lâcher un éclat de rire exubérant, puis elle dit :

— Il est un peu occupé en ce moment, mais je peux lui enlever son bâillon si vous tenez vraiment à lui parler.

Il y eut un moment d'hésitation.

— Ouais, madame, dit finalement le garde. Enlevez-le, je préfère.

Bon Dieu ! Il n'était pas censé répondre *oui*. Cela ne se fait pas d'interrompre une séance sado-maso !

À moins qu'il ne soit au courant de tout depuis le départ.

— D'accord, attendez juste une seconde, dit-elle en maugréant.

Vienna commençait à s'affoler. Faute d'une meilleure idée, elle attrapa le pistolet. Au même moment, Pierce revint à lui. Il rouvrit brusquement les yeux. Vienna, surprise, poussa un cri aigu, déclenchant une cavalcade dans le couloir.

Elle colla le canon de son arme contre la tempe de Pierce Mackey.

— Dis-leur que tout va bien ou je te fais sauter la cervelle. Je te jure que je le fais. Je n'ai rien à perdre.

Pierce malaxa sa mâchoire endolorie.

— Tout va bien, les gars, hurla-t-il. Ne vous en faites pas pour moi.

Après quoi, il eut l'audace de sourire.

— J'espérais te baiser une fois ou deux avant qu'on en arrive là, reprit-il sur le ton de la confidence. Ça, Michael l'aurait eu en travers de la gorge.

Vienna regarda autour d'elle à la recherche d'une issue.

— Va ouvrir les paquets, dit-il encore.

Prise au dépourvu, elle fronça les sourcils.

— Quoi ?

— Tes cadeaux, précisa-t-il. Ouvre-les.

Sans le quitter des yeux, elle attrapa les deux paquets sur la table.

— Tiens, dit-elle en les lui lançant, ouvre-les, toi.

Avec un haussement d'épaules, Pierce les ouvrit l'un après l'autre et les tourna pour qu'elle puisse voir l'intérieur.

Ils étaient vides.

— Il y a longtemps que j'ai vu clair dans ton jeu, ma poulette… Le seul truc, c'est que je ne m'attendais pas que tu me mettes un flingue sous le nez… Ça, c'est très fort… Mais, tu vas voir, je suis fair-play. Michael et Devlin ont sans doute oublié de te le dire… Alors, voici ce que je vais faire. Je vais ouvrir ma chaîne et je vais te donner la bague. Qu'est-ce que tu en penses ?

Vienna avait la bouche sèche. Elle s'éloigna le plus possible, sans cesser de le viser.

— J'en pense qu'il doit y avoir un piège.

Pierce haussa les épaules avec fatalisme.

— Eh bien, oui ! C'est comme ça, la vie. Il y a toujours un piège quelque part. Parce qu'une fois que je t'aurai donné la bague, j'alerterai mes gardes du corps, qui vont se faire un devoir de chercher à te descendre. Et toi, tu vas essayer de sortir vivante de ce merdier.

— Si j'ai bien compris, tu me donnes la bague et moi, je finis au fond de l'océan, résuma Vienna. Je ne vois pas bien l'intérêt pour toi : tu ne pourras plus te servir de ton trophée pour narguer Michael et Devlin.

— Tu ne comprends pas que je m'en fous, de cette bague. Je peux acheter toutes les bagues que je veux. Ce qui compte à mes yeux, c'est qu'ils ne l'aient pas, *eux*. Que la bague finisse au fond de l'eau, ça me convient ! C'est toujours moi qui gagne.

Cette petite tirade fut ponctuée d'un sourire éclatant. Vienna passa son pistolet dans sa main gauche et tendit sa main droite.

— Si tu es vraiment prêt à me donner cette bague, vas-y, aboule.

Avec le canon du pistolet constamment braqué sur lui, Pierce se leva du lit, fouilla dans un pot à crayons et en sortit une petite clé en or. Il fit tourner la chaîne pour ramener le cadenas sur le devant, le tint à hauteur de ses yeux et l'ouvrit. Cela fait, il prit la bague et la tint dans son poing serré. La chaîne glissa le long de son cou et tomba sans bruit sur la moquette.

— Voilà, dit-il. Je te la donne et tu te débrouilles pour sortir d'ici.

Ils se toisèrent un moment.

— Je me suis trompée sur ton compte, murmura Vienna. Tout compte fait, tu ne manques pas d'originalité.

Pierce écarquilla les yeux.

— Merci pour le compliment. Bon, tu es prête ?

Vienna se lécha les lèvres.

— Oui.

— Tu peux compter sur moi pour dire à mes hommes de ne pas te faire de cadeau. C'est parti.

Il tourna son poing vers le haut et commença à compter.

— Trois !

Il ouvrit la main. La bague brilla dans sa paume.

— Deux !

Il tendit le bras.

— Un… zéro… gardes !

D'une main, Vienna s'empara de la bague et, de l'autre, vida son chargeur dans le hublot. Pierce entendit les détonations sans broncher. Il eut même un petit hochement de tête approbateur en la voyant faire.

Elle plongea par le hublot, la tête la première, à la seconde même où la vitre explosait, et tomba dans l'océan, au milieu d'une gerbe d'eau salée et d'éclats de verre. Lorsqu'elle remonta à la surface, elle chercha des yeux le phare qui devait servir de point de ralliement une fois la mission accomplie. Elle le vit et se mit à nager dans sa direction.

Presque aussitôt, des balles sifflèrent à ses oreilles. Elles entraient dans l'eau en soulevant des petits geysers d'écume. Derrière elle, il y eut un grand *plouf* ! Elle pensa que quelqu'un venait de plonger pour la poursuivre à la nage. Elle avala une grande goulée d'air et passa sous l'eau. Des mitraillettes crépitèrent et d'autres projectiles vinrent s'abattre près d'elle, traçant à la surface de l'océan des lignes de trous. Elle lâcha son arme qui ne lui servait plus à rien et se remit à nager aussi vite qu'elle pouvait.

Le phare éclairait une large bande d'eau. Vienna eut soin de s'en écarter avant d'émerger de nouveau, car elle manquait d'air. Elle entendit des éclats de voix, reprit son souffle et retourna se cacher sous l'eau, se servant du faisceau de lumière comme guide. Les yeux brûlants, les poumons en feu, elle nagea pour sauver sa vie.

Alors qu'elle commençait à se croire hors de danger, une main puissante, sortie de Dieu sait où, lui agrippa le bras. Elle se débattit, mais mollement, car elle était de nouveau à cours d'oxygène. Contrainte de sortir la tête de l'eau, elle aspira une grande quantité d'air, et, en même temps, balança au jugé son poing gauche, celui où ne se trouvait pas la bague.

Il y eut un choc sourd. Et puis, tout à coup, Vienna reconnut le visage qu'elle venait de frapper et son soulagement fut immense. *Michael !* Elle se laissa hisser à bord sans plus de résistance et atterrit en tas sur le pont. Aussitôt, le moteur rugit et le bateau partit à toute allure vers la côte.

Vienna se redressa et découvrit Devlin à la barre et Michael qui surveillait leurs arrières, engoncé dans un gilet pare-balles, jumelles de vision nocturne sur les yeux, pistolet-mitrailleur à la main.

Il n'était pas là pour plaisanter.

Se recroquevillant contre le bord du bateau, elle ouvrit son poing et regarda la bague.

Michael avait ce qu'il voulait.

8

C'était doux.

Très doux.

Trop doux.

Vienna ouvrit les yeux et découvrit que la douceur en question était celle de la couverture en cachemire dans laquelle elle était enroulée.

Elle se trouvait dans une chambre inconnue. Michael était assis dans un fauteuil au chevet du lit. Il ne devait pas avoir dormi de la nuit.

— Bonjour, dit-il doucement.

Elle regarda autour d'elle. Sur la table de nuit, au milieu d'un petit plateau d'argent, il y avait la bague de fiançailles de Julia. Michael se passa la main dans les cheveux.

— Dites-moi d'aller au diable, si ça vous chante mais, je vous en prie, dites quelque chose.

Visiblement, il était dans ses petits souliers.

— Je vous dois des excuses, poursuivit-il. Vienna, écoutez-moi, je suis désolé. Je regrette de vous avoir livrée à lui. Je regrette de m'être servi de vous de cette façon.

— Regardez plutôt le bon coté des choses, répondit-elle, narquoise. J'ai rapporté la bague.

Elle la lui tendit. Michael se leva de son fauteuil, s'approcha et la prit, mais ce fut pour la replacer aussitôt sur la table de nuit.

— J'ai un aveu à vous faire, dit-il. Essayez de ne pas me rire au nez. À la seconde où j'ai vu s'éloigner le yacht de Mackey, j'ai regretté de ne pas avoir tout annulé… et de ne pas avoir osé vous dire ce que j'éprouvais vraiment.

Tout en parlant, il lui avait pris les mains et les étreignait d'une façon qui suggérait bien davantage que du désir. Vienna ne put rien répondre car elle était sans voix. Elle se pencha en avant, lèvres offertes. Michael fit l'autre moitié du chemin et ils s'embrassèrent. La couverture glissa, révélant une merveilleuse nudité que Michael s'empressa de serrer contre lui.

— Vous devez être fatiguée, dit-il.

— Pas vraiment, répondit Vienna en souriant.

Elle le tira par la ceinture de son pantalon pour lui faire comprendre qu'il n'avait plus qu'à se déshabiller aussi. Il fit passer sa chemise par-dessus sa tête sans la déboutonner et la jeta au loin. Le reste de ses vêtements la rejoignit bientôt.

— Nous allons faire ça tout doucement, annonça-t-il.

— C'est un peu tard pour commencer à me ménager, Michael Kingston. Je ne suis pas en sucre. Allez-y.

Il s'empressa d'obéir, se glissant avec elle sous la couverture. Il frotta son sexe en érection contre son ventre tout en lui mordillant les lèvres. Elle écarta les jambes, projeta son bassin en avant et sourit d'un air qui voulait dire : « Prends-moi ! » Michael n'était pas si pressé. Il voulait honorer ce joli corps de toutes les façons possibles. Il la toucha, la couvrit de baisers et de caresses affolantes. Il promena sa bouche partout, sur les seins, le ventre, la motte, butinant dans leur douceur et leur beauté.

Vienna poussa un cri rauque et s'agita, les mains sur ses seins, quand il lui lécha lentement sa fente humide et chaude, palpitante de désir.

Bientôt, n'y tenant plus, il se coucha sur elle et la pénétra. Vienna ferma les yeux et savoura la douce intrusion. Michael commença à bouger. Elle lui glissa une main le long du ventre pour toucher le vigoureux phallus qui allait et venait en elle et palper les deux boules duveteuses.

Il lui murmura à l'oreille des paroles de tendresse et de désir qui la firent tressaillir de joie. Ses muscles intimes se contractèrent, et ce fut comme si elle lui pétrissait le sexe entre les parois de son sillon. Michael se mit à aller et venir de plus en plus vite. Vienna se cambra sous ses coups de boutoir.

— Encore ! Encore ! Encore ! psalmodiait-elle.

Soudain, il poussa un véritable cri d'extase et se répandit en elle par saccades. Elle jouit aussitôt après, en criant : « Michael ! », agrippée à lui pour ne pas tomber du lit.

Ils restèrent un long moment sans bouger, bras et jambes enchevêtrés, haletants, le cœur battant.

— Vienna ?

— Mouais ?

— Si ça vous intéresse toujours de le savoir, ce que j'éprouve vraiment pour vous, c'est *ça*.

— Eh bien, si je ne m'abuse, ce n'est pas la première fois que vous me le faites *sentir*.

— Vous savez très bien ce que je veux dire. Je vous aime.

Il s'assit, l'entraînant avec lui et la serrant contre son cœur.

— Écoutez, reprit-il, il y a un passeport dans le tiroir de la table de nuit. Vous pouvez partir si vous le souhaitez. Vous êtes libre. Faites votre choix.

Elle ouvrit des yeux ronds.

— Vous me laisseriez partir ? Officiellement ?

— Bien sûr.

— Devlin est-il au courant ?

Michael éclata de rire.

— Disons que j'ai eu la politesse de l'informer de mes projets.

Vienna s'écarta un peu.

— Vous me laisseriez partir ? redemanda-t-elle, les bras croisés, la tête inclinée sur le côté, l'air perplexe.

Il acquiesça d'un hochement de tête. Elle insista :

— Pour de bon ?

Avant de répondre, il l'embrassa dans le cou.

— Vous avez naturellement la possibilité de partir seule, dit-il. Mais je pense que deux bonshommes désespérés dans la même maison, ça ferait beaucoup, pas vrai ? Pour éviter ça, vous pourriez… m'emmener avec vous.

Vienna lui donna une bourrade pour le forcer à se rallonger et s'installa à califourchon sur lui.

— Tu es un idiot comme il n'y en a pas deux, Michael Kingston, dit-elle sur un ton tendre et familier. Tu devrais savoir depuis longtemps que je suis folle de toi. Il se pourrait même que je sois tombée amoureuse dès la première fois que tu m'as embrassée.

Michael la prit par la nuque, l'attira vers lui et l'embrassa sur la pointe du menton.

— Alors, partons, dit-il. Rien que toi et moi. Oui, prenons de longues vacances… Mes affaires peuvent se passer de moi pendant quelque temps.

Vienna ferma les yeux et se sourit à elle-même.

— De longues vacances… Rien que toi et moi… dit-elle pensivement. Ça me va.

1

Elle n'aurait jamais dû dire oui.

Tristana serra son sac à main contre son ventre et le tritura encore un peu. L'air conditionné était mal réglé, il faisait trop froid dans la voiture. Sa ceinture de sécurité lui sciait l'épaule, et elle avait la nausée.

Qu'est-ce qui lui avait pris d'accepter ce rendez-vous ?

Elle n'était pas prête pour ce genre de chose.

Au volant, Cliff avait l'air ravi. Il souriait comme ça depuis qu'il était venu frapper à sa porte. Ce qui ne servait qu'à accentuer le malaise de Tristana.

— C'est super de pouvoir passer un peu de temps ensemble, dit-il. Un petit signe de la main le matin en arrivant au travail et le soir en repartant, ça ne fait pas beaucoup.

Tristana esquissa un sourire. Que pouvait-elle répondre à cela ?

— Est-ce que vous faites des travaux dans votre pharmacie ? demanda-t-elle pour entretenir la conversation. Il me semble avoir vu des ouvriers chez vous pendant quelques jours.

— J'ai fait remplacer mes vieilles étagères. Bah, il faut vivre avec son temps, pas vrai ? Et vous, comment vont les affaires ? J'ai l'impression que ça marche du feu de Dieu. Chaque fois que je me suis aventuré dans l'arrière-cour, je vous ai vues, avec Kelly, en train de charger votre camionnette.

Tristana s'agitait sur son siège, cherchant une position qui lui permettrait de se sentir un peu moins persécutée par sa ceinture de sécurité.

— Pour un traiteur, l'été, c'est la meilleure saison…

— Ah, oui, c'est ce que je me disais aussi. Les fêtes de fin d'année dans les collèges et les facs, les pique-niques, les garden-parties, les réunions de famille, ce genre de chose.

— Oui, ce genre de chose…

Ce bavardage ne menait à rien. Plus les minutes passaient, plus elle regrettait sa décision. Cliff était un brave garçon mais ce n'était pas une raison pour accepter son invitation à dîner. Elle ne l'aurait pas fait s'il n'y avait pas eu tant de gens pour lui répéter qu'elle avait tort de se claquemurer chez elle devant de vieux films. Cela faisait à présent huit mois qu'elle était seule. Il était grand temps qu'elle « s'aère » un peu. Ses amis, bien sûr, n'avaient voulu que son bien… preuve supplémentaire que l'enfer est pavé de bonnes intentions.

— J'espère que vous avez faim, dit Cliff. Il paraît que la cuisine du *Tournebroche* est fantastique.

Tristana se demanda comment son estomac barbouillé allait réagir à la cuisine française, réputée plus savoureuse que légère.

— C'est aussi ce que j'ai entendu dire, répondit-elle.

— Et puis, il y a un dancing juste à côté, avec une ambiance très agréable, vous verrez…

Tristana eut un haut-le-cœur. Dîner, soit, elle y était résignée. Mais danser ? Ça, non !

— Écoutez, Cliff, je ne crois pas que…

Elle s'interrompit lorsque Cliff tourna subitement à gauche et annonça sur un ton faraud :

— Voilà, nous y sommes !

Les pneus de la voiture crissèrent sur le gravier du parking tandis qu'il cherchait une place pour se garer. Il en trouva bientôt une entre un gros camion et un pick-up crotté.

Tristana regarda autour d'elle avec stupéfaction. Plongée dans ses pensées moroses, elle n'avait pas assez fait attention à la route.

— Cliff, vous êtes sûr que…

Mais il n'était déjà plus là. Le temps qu'elle se libère de sa ceinture de sécurité, il avait fait le tour de la voiture et lui avait ouvert sa portière. S'appuyant sur la main qu'il lui tendait galamment, elle descendit.

— Cliff, dit-elle le plus gentiment du monde, je crois qu'il y a une erreur. Ce n'est pas le *Tournebroche*.

Il battit des paupières.

— Je vous demande pardon ?

Elle lui montra l'enseigne lumineuse.

— Ici, c'est le *Tourniquet*, un grill-room. Pour autant que je sache, le *Tournebroche* se trouve au nord de la ville, pas loin du parc Jefferson.

Cliff tourna brusquement la tête, plissa les yeux, lut... et devint aussi blanc que sa chemise.

— Mais... j'ai réservé pour dix-neuf heures, bredouilla-t-il.

Tristana regarda sa montre.

— Il faut retraverser toute la ville. Nous n'y serons jamais.

Cliff, dans un geste qui résumait assez bien son embarras, passa un index dans le col de sa chemise.

— Le temps d'y arriver, ils auront donné notre table à quelqu'un d'autre, c'est sûr, soupira-t-il.

Le pauvre homme avait l'air complètement désemparé. Du coup, Tristana se tourna de nouveau vers le restaurant. Le *Tourniquet* était très ordinaire mais pas malfamé. Elle y avait déjeuné quelquefois. Les pommes frites y étaient excellentes et les gambas grillées, spécialité de la maison, se laissaient manger.

N'écoutant que son bon cœur, elle dit :

— Ça fera l'affaire.

— Mais, pour danser ? marmonna-t-il.

Elle le prit par le bras.

— Pour ça, on verra plus tard. Mangeons d'abord ici.

Ils s'approchèrent du restaurant, à pas lents – Cliff parce que ses plans s'effondraient et Tristana parce qu'elle avait du mal à marcher sur les graviers avec ses talons aiguilles. En s'appuyant sur son cavalier un peu plus qu'elle ne l'aurait souhaité, elle réussit à traverser le parking sans se fouler une cheville. Cliff avait toujours l'air maussade et vaguement inquiet au moment de franchir le tourniquet qui barrait l'entrée et auquel l'endroit devait son nom. Ils furent accueillis par un air de *country music*. Le visage de Cliff prit une coloration distinctement verdâtre.

Tristana lui adressa un sourire rassurant. Elle non plus, elle n'était pas dans son élément. Ça ne lui plaisait guère de se trouver dans un endroit comme le *Tourniquet* à la nuit tombante, mais elle y serait sûrement plus à l'aise que dans l'atmosphère pesamment romantique d'un restaurant français. Et puis, il y aurait la musique pour combler les silences quand la conversation languirait.

Elle prévoyait déjà que la soirée serait longue.

À l'intérieur du *Tourniquet*, c'était l'ambiance des vendredis soir. Tout le monde était là pour se détendre après une longue semaine de travail. Il y avait déjà des chopes de bière sur le bar et des cosses de cacahuètes par terre. Certains jouaient aux fléchettes, d'autres au billard.

Tristana aperçut une table libre dans un coin et fit signe à Cliff de la suivre. Elle n'avait pas fait trois pas que quelqu'un siffla : un son étiré, strident, qui se détacha sur les bruits de fond. Prise au dépourvu, elle trébucha... avant de s'immobiliser tout à fait lorsqu'elle comprit que c'était à elle que le douteux compliment s'adressait.

Normal qu'elle se soit fait repérer avec sa petite robe noire, trop chic pour un endroit comme celui-ci. Son embarras ne fit que croître à mesure que, une à une, les têtes se tournaient vers elle. Quelqu'un cria :

— Oh, la jolie poulette !

Alors, les joues de Tristana s'empourprèrent. Sa robe aurait été parfaite dans un grand restaurant mais, ici, la jupe était trop courte et le bustier dévoilait trop d'épaules, trop de gorge, trop de tout...

Instinctivement, elle se tourna vers la sortie. Mais Cliff ne semblait pas disposé à s'en aller, au contraire. Faisant comme si de rien n'était, il lui mit sa main au creux des reins et la conduisit jusqu'à leur table. Elle ne fut pas dupe de son manège. Il était fier comme un paon parce que les gens pensaient que sa petite amie était canon.

Tristana était trop décontenancée pour songer à prendre la mouche. Tout ce qu'elle voulait, c'était qu'on ne la voie plus. Lorsqu'elle put enfin s'asseoir sur sa banquette et se dissimuler aux trois quarts derrière le dossier, elle poussa un soupir de soulagement. Cliff s'assit en face d'elle, desserra le nœud de sa cravate et déboutonna son col de chemise.

— Vous détonnez dans ce boui-boui, dit-il avec un radieux sourire.

En même temps, il la regarda de haut en bas, tout comme lorsqu'il était venu la chercher tout à l'heure, sauf que cette fois c'était beaucoup plus appuyé. Il s'attarda sur son décolleté d'une façon qu'elle trouva outrageante.

En se trémoussant sur son siège, elle prit le menu et s'en servit pour se cacher tout en faisant semblant de le lire. De temps en temps, elle jetait un coup d'œil dans la salle. Les conversations avaient repris. On rejouait au billard, on relançait des fléchettes. Plus personne ne s'intéressait à elle.

Sauf…

Il y avait un homme au bout du bar qui la regardait fixement. Dans la pénombre, ses yeux brillaient comme des escarboucles… Et, soudain, elle le reconnut et son cœur s'emballa.

— Ô mon Dieu ! dit-elle dans un souffle.

C'était Tybalt. *Tybalt !*

— Quoi ? s'exclama Cliff en tressaillant.

Aussi molle qu'une poupée de chiffon, elle se laissa glisser contre le dossier de son siège. Cliff se mit à lancer des regards inquiets et scrutateurs dans toutes les directions à la fois.

— Que se passe-t-il ? Quelque chose m'a échappé ? Vous êtes toute pâlichonne, on dirait que vous venez de voir un fantôme.

— Pas un fantôme.

Pour une fois qu'elle sortait le soir, quelle poisse !

— Mon beau-frère est ici.

Cliff ouvrit des yeux en boules de loto.

— Vous voulez dire, votre *ancien* beau-frère, dit-il en riant nerveusement. Sinon, je suis dans de sales draps.

Tristana sentit venir la migraine. Elle se massa les tempes.

— Non, il n'y a pas de problème, dit-elle tranquillement. *Ancien* beau-frère.

Cliff se dévissa le cou pour regarder dans la salle.

— Vous ne parlez pas quand même de l'hercule de foire, là-bas, au bout du bar ?

En fait, si.

— Il travaille dans le bâtiment, expliqua Tristana.

Elle prit Cliff par le bras pour l'inciter à se retourner vers elle. En étant aussi peu discret, il ne faisait qu'aggraver les choses.

— Je ne comprends pas, dit Cliff. Où est le problème ?

Tristana se mâchonna la lèvre.

— Eh bien, c'est bête à dire mais c'est la première fois que je sors avec quelqu'un depuis mon divorce.

Il resta bouche bée.

— Ah bon ?

Elle répondit par un haussement d'épaules résigné.

— Mais vous étiez mariée avec un joueur de base-ball professionnel.

Elle le regarda sans comprendre. Qu'est-ce que le base-ball venait faire dans tout ça ?

— Je suis le premier avec qui vous avez accepté de dîner depuis que vous n'êtes plus avec Denny Christiansen ? Le champion des All-Stars ? Celui qui a marqué 328 points en une seule saison avant de se bousiller le genou et qui est parti entraîner une petite équipe au Japon ?

Il avait l'air tellement béat qu'elle eut envie de grincer des dents.

— J'ai eu besoin de temps pour *faire mon deuil*, comme on dit.

Une fois de plus, Cliff jeta un bref coup d'œil derrière lui. Un *très* bref coup d'œil. Lorsqu'il se retourna, sa pomme d'Adam s'agitait comme un ludion le long de sa gorge.

— J'ai l'impression que votre beau-frère n'a pas encore fait le sien, murmura-t-il d'une voix étranglée. On dirait qu'il a envie de me casser la tête.

Malgré elle, Tristana s'attendrit. Elle voulait bien croire que Tybalt Christiansen était en train de ronger son frein. Elle n'avait pas de meilleur ami en ce bas monde. Pendant le divorce, il avait toujours cherché à la protéger. Il lui avait dit qu'elle pouvait s'appuyer sur lui autant qu'elle voudrait et, à la réflexion, elle en avait peut-être un peu trop profité.

— Mais non, dit-elle. Il s'étonne de me voir avec quelqu'un d'autre que Denny, c'est tout.

Elle n'était pas absolument certaine que ce soit tout. À bien y regarder, Tybalt ne paraissait pas tant surpris que déçu, amer et furieux.

Ils en avaient sué toute la semaine.

Tybalt but une grande gorgée de bière glacée. La brise qui sortait du climatiseur juste au-dessus de sa tête était la bienvenue. La douche qu'il avait prise l'avait lavé sans vraiment le rafraîchir. Travailler dehors en pleine canicule, cela vous donnait un avant-goût de l'enfer. Lui et ses gars avaient vu arriver la fin de la semaine avec joie.

— À toi, dit Frank.

Il lui passa les fléchettes et acheva de vider sa chope. Tybalt s'essuya les mains sur son jean et prit la poignée de fléchettes. Dans le juke-box, un air de *country* succéda à un autre. Tybalt se planta scrupuleusement à l'endroit marqué sur le sol et regarda la cible. Il n'avait besoin que de dix-sept points pour gagner.

Il était en train de viser lorsqu'un couple entra. Du coin de l'œil, il remarqua la femme. Des cheveux noirs et une silhouette élancée…

Exactement son type.

Il n'en fallut pas plus pour le déconcentrer et, lorsqu'il lança sa fléchette, elle alla se planter dans le mur, à vingt bons centimètres à droite de la cible.

Frank ricana.

— Ça, c'est une grande première, s'exclama-t-il.

Tybalt regarda par-dessus la tête de son ami et ce qu'il vit lui coupa le souffle aussi sûrement qu'un coup de poing dans l'estomac. Cette femme n'était pas seulement son type.

C'était la femme de ses rêves.

Tristana.

Et elle était avec quelqu'un !

Frank pivota sur son tabouret et il la vit à son tour. Alors, il fit ce que font spontanément les ouvriers du bâtiment du haut de leur échafaudage lorsqu'une belle fille passe dans la rue : il siffla. Tybalt, de sa main libre, lui donna une tape sur le sommet du crâne.

— *Aïe !* s'écria Frank en se retournant. Qu'est-ce qui t'arrive ? Ce n'est pas parce que tu l'as vue avant moi que je n'ai pas le droit de la regarder aussi.

— Ressaisis-toi, bougonna Tybalt. Tu as les yeux hors de la tête.

Il n'était pas le seul. Tous les hommes sans exception s'étaient mis à la regarder comme le loup regarde le petit chaperon rouge dans les dessins animés de Tex Avery !

Lorsqu'un des quatre maçons attablés près de lui s'écria : « Oh, la jolie poulette ! », Tybalt frappa du poing sur le comptoir.

— Ça suffit ! ordonna-t-il. Un peu de respect pour la dame !

Les rires cessèrent immédiatement.

— Excuse-moi, Tybalt, dit le coupable en levant les mains. Je ne savais pas que c'était chasse gardée.

— Écrase !

Tybalt regarda autour de lui avec sévérité, et tout le monde se tint à carreau.

— Je suppose que tu la connais, dit Frank.

— Ouais, grommela Tybalt.

Il la connaissait. Ou, plus exactement, il ne pensait qu'à elle depuis trois ans.

— C'est l'ex-femme de Denny, précisa-t-il.

Frank eut un petit sursaut d'étonnement.

— Ah, c'est ta belle-sœur ?

— Plus maintenant.

Le divorce avait été prononcé huit mois plus tôt. Tristana était de nouveau libre. Mais c'était la première fois qu'il la voyait avec un autre homme.

Et ça ne lui plaisait pas du tout.

Il eut du mal à en croire ses yeux lorsque le cavalier de Tristana la conduisit jusqu'à une table au fond du restaurant. Après l'accueil qu'elle avait reçu, sifflets et commentaires grossiers, un homme digne de ce nom lui aurait fait faire demi-tour et l'aurait emmenée loin d'une gargote aussi mal fréquentée. Au lieu de cela, voilà que ce... que cette *mauviette* lui mettait la main au creux des reins, à *ça* des fesses, et qu'il la poussait devant lui comme s'il prenait plaisir à l'exhiber. Ou bien, comme s'il était fier d'être vu avec elle.

Il y avait effectivement de quoi être fier: Tristana était splendide. Et cette robe, bon Dieu! Et ses balancements de tête... et ses ondulations du bassin... et ses fesses bien rebondies... et ses longues jambes aux mollets joliment galbés... Jamais elle n'avait été plus désirable. Le mot *sexy* semblait avoir été inventé exprès pour elle...

La gorge de plus en plus sèche, Tybalt attrapa sa chope, la vida d'un trait.

Lorsqu'elle s'assit, sa jupe remonta un peu. Il crut apercevoir un petit bout de cuisse juste au-dessus d'un bas noir et reposa sa chope sur le comptoir avec un grand *bang!*

Déjà, il se sentait à l'étroit dans son jean.

Il la dévisagea. Malgré la mauvaise lumière, il aurait juré qu'elle avait les joues toutes rouges. Sa gorge palpitait. Elle se mordillait les lèvres. Elle était tendue.

Il la vit disparaître un instant derrière son menu. Et puis, tout à coup, comme quelqu'un qui se sent observé, elle tourna la tête et regarda fixement dans sa direction.

Lorsqu'elle le reconnut, elle devint toute pâle et resta bouche bée.

Tybalt éprouva un agréable tressaillement. Quoi de plus émouvant que des lèvres entrouvertes? Sans les solides boutons de son Levi's, son sexe aurait peut-être bondi hors de sa braguette comme un diable hors de sa boîte.

L'espace d'une seconde, l'envie d'aller l'embrasser fut plus forte que tout. Il fit même un pas dans sa direction.

Le type qui était assis en face d'elle se retourna juste à ce moment-là et Tybalt, dégrisé, s'arrêta net.

Elle était ici avec quelqu'un.

— Du calme, Tybalt, lui dit Frank.

Tybalt avait pratiquement oublié qu'il y avait du monde autour de lui.

— Qu'est-ce qu'elle fout là ? demanda-t-il d'une voix grondante.

— Bah, elle dîne, faut croire, répondit Frank.

Tybalt regarda de nouveau dans la direction de Tristana. Mais, désormais, elle l'ignorerait ostensiblement. Adossée à sa banquette, l'air, semblait-il, détendue, elle papotait avec son compagnon. Elle lui disait même des choses qui semblaient le réjouir. Pour autant qu'il sache, ça faisait des mois qu'elle ne bougeait plus de chez elle. Son temps libre, elle le passait devant la télé, sagement… Bon Dieu, qu'est-ce qui lui avait pris de sortir avec ce type ? Justement ce soir ? Justement ici ? Qui était-ce, d'abord, son chevalier servant ? Où l'avait-elle déniché ? Et qu'est-ce qu'elle lui trouvait ? Un maigrichon avec des épaules tombantes et le cheveu filasse… Elle n'allait quand même pas lui tomber dans les bras !

« Non, ça n'arrivera pas », se dit soudain Tybalt avec une détermination sans faille. Le gringalet avait intérêt à bien profiter du dîner, car il n'aurait rien d'autre.

Le repas était interminable. Les aiguilles de la pendule semblaient figées sur le cadran. Tristana picorait dans son assiette. Les gambas n'étaient pourtant pas mauvaises mais, voilà, elle n'avait pas faim.

Tybalt ne la quittait pas des yeux. Il faisait tout ce qu'il pouvait pour la mettre mal à l'aise et il réussissait fort bien. Cliff, cependant, penché sur un énorme steak, jouait allègrement de la fourchette. Il ne relevait la tête que pour poser des questions.

Par malheur, c'étaient des questions indiscrètes. Depuis qu'elle lui avait dit qu'il était le premier avec qui elle sortait depuis son divorce, il ne se sentait plus.

« Mais alors, pourquoi avez-vous divorcé de quelqu'un comme ça ? La séparation s'est-elle bien passée ? Avez-vous obtenu une belle pension alimentaire ? Est-ce que votre *beauf* est aussi dangereux qu'il en a l'air ? »

Honnêtement, elle n'en pouvait plus. Tout ce qu'elle désirait, c'était rentrer chez elle, tirer le verrou, prendre une douche froide, se mettre au lit… et oublier cette fâcheuse soirée.

Même lentement, les secondes s'égrenèrent pour former des minutes, les minutes, des quarts d'heure. Après les plats, il y eut les desserts et, après les desserts, l'addition. La serveuse, enfin ! rendit sa carte de crédit à Cliff. C'était le signal que Tristana attendait. Elle sortit tellement vite que Cliff dut se mettre au pas de course pour la rattraper sur le parking.

— Et maintenant, voulez-vous que nous allions danser ? proposa-t-il innocemment.

— Merci, Cliff, mais je ne voudrais pas me coucher trop tard.

Il fronça les sourcils.

— Et si on allait se promener au bord de l'eau ? Il fait déjà moins chaud…

Tristana, excédée, poussa un soupir.

— Une autre fois, peut-être. Pour l'instant, j'ai hâte de rentrer chez moi… S'il vous plaît, Cliff, raccompagnez-moi.

Il la regarda un moment, l'air perplexe et contrarié.

— Soit, dit-il finalement, je vais vous reconduire.

Pendant le trajet de retour, ils ne furent pas bavards. Tristana était désolée pour Cliff, elle se reprochait cette soirée gâchée, car, à bien y regarder, tout était sa faute. C'était elle qui n'avait pas joué le jeu. Préoccupée par ses problèmes personnels, elle n'avait pratiquement pas fait attention à lui – et, quand elle disait : « problèmes personnels », il s'agissait premièrement et principalement de son ex-beau-frère.

— Je suis navrée, Cliff, dit-elle, cramponnée une fois de plus à son sac à main. Je n'ai pas été d'une compagnie très agréable, ce soir. Je m'en rends bien compte…

Il se tourna vers elle, et son visage parut subitement moins sombre.

— Ne vous en faites pas pour cela, répondit-il en profitant de l'occasion pour lui toucher la cuisse. Si l'ambiance n'y était pas, c'est entièrement ma faute : pour commencer, je n'avais qu'à ne pas me tromper de restaurant…

Tristana repensa à la mine qu'il avait faite lorsqu'il s'était aperçu de son erreur et elle ne put s'empêcher de sourire. Mais son amusement fut de courte durée, car Cliff ajouta :

— La prochaine fois, je serai plus attentif…

À ces mots, Tristana fit la grimace. Elle voulait bien faire son mea culpa pour ce soir. Mais rien au monde n'aurait pu la persuader de renouveler l'expérience. À quoi bon ? Le courant ne passait pas entre eux et il ne passerait jamais.

Pourtant, elle ne put se résoudre à lui dire tout de go qu'il n'y aurait pas de prochaine fois. Elle était lasse et, comme on dit, à chaque jour suffit sa peine.

Arrivés à destination, elle avait espéré qu'il se contenterait de la déposer et repartirait aussitôt, mais il coupa le moteur et se dépêcha de faire le tour de l'auto pour venir ouvrir sa portière. Puis, il la raccompagna jusqu'à la porte de la maison. Pendant ce temps, Tristana se forçait à sourire.

— Merci pour cette soirée, dit-elle, ses clés à la main.

— Tout le plaisir a été pour moi, répondit Cliff.

Tristana ouvrit sa porte et pensa un peu vite que cette horrible soirée était enfin terminée. Lorsqu'elle se retourna une dernière fois pour lui dire bonsoir, il la prit dans ses bras et, sans plus de formalité, l'embrassa sur la bouche. Pendant un instant, elle fut trop sidérée pour réagir. Puis, elle eut un sursaut de dégoût et se retrouva sur la pointe des pieds, ce qu'il prit pour un bon présage. Il la serra très fort contre lui.

Elle sentit qu'une main s'aventurait beaucoup trop bas dans son dos. C'est alors qu'elle se souvint de ses clés.

— Aïe ! s'écria Cliff en grimaçant lorsqu'elle lui donna un coup dans les côtes.

Elle en profita pour se faufiler dans la maison.

— Bonne nuit, Cliff, dit-elle d'une voix aussi calme que possible.

— Mais…

— Bonne nuit.

D'un geste lent mais impérieux, elle referma la porte. Puis, elle tira le verrou. *Maintenant*, oui, elle pouvait dire que cette horrible soirée était enfin terminée.

Oh! là, là! Quel désastre!

Elle poussa un long soupir. Au total, la seule chose à peu près convenable avait été les gambas, et elle n'avait même pas pu les apprécier à leur juste valeur.

Elle lança son sac sur le canapé du salon. Toujours tendue, elle se malaxa les muscles du cou. Ce qui lui fallait, c'était une bonne douche.

Elle partit vers la salle de bains. Tout en marchant, elle passa une main dans son dos et commença à dégrafer sa robe. C'est là qu'elle entendit le toc toc.

Aussitôt, la colère la prit. Elle n'aimait pas les querelles. Il en fallait beaucoup pour la faire sortir de ses gonds. Mais, cette fois, ça y était!

Elle pivota et regarda méchamment la porte. Elle avait été gentille avec ce type, malgré son manque de tact. Elle l'avait remercié alors qu'il n'y avait vraiment pas de quoi. Elle l'avait gratifié d'un aimable bonsoir, et elle ne l'avait même pas giflé lorsqu'il l'avait embrassée de force.

Maintenant, la coupe était pleine.

Elle revint vers la porte à grandes enjambées, ôta le verrou et ouvrit la porte.

— Bon, Cliff, ça suffit, je ne veux plus vous revoir.

Sur le seuil, c'est *Tybalt*.

— Ça tombe rudement bien, dit-il, parce que je viens de lui demander de foutre le camp.

2

— Tybalt! s'exclama Tristana.

Au même moment, une voiture démarra en trombe dans la rue. Tristana plissa les yeux en entendant le moteur rugir, les pneus crisser bruyamment sur l'asphalte, les vitesses craquer. Le pauvre Cliff s'enfuyait comme s'il avait eu le diable à ses trousses.

Elle leva vers Tybalt un regard plein de reproches. Ah, il allait l'entendre!

Mais il avait l'air encore plus furieux qu'elle. Ses yeux lançaient des éclairs, et les muscles de ses joues vibraient sous la peau. Alors, elle hésita.

Elle s'était doutée qu'il n'apprécierait pas de la voir en galante compagnie. Elle avait même envisagé la possibilité de devoir s'expliquer... demain, ou la semaine prochaine, ou plus tard encore, et, de préférence, au téléphone. Elle n'avait pas pensé que la discussion aurait lieu dès ce soir, de vive voix, sur le pas de sa porte.

— Qu'est-ce que tu fais ici? demanda-t-elle. Est-ce que tu m'as suivie?

— Bien sûr que je t'ai suivie. Ça te dérange?

Tristana était désarçonnée. Elle s'était attendue à se trouver en face d'un échalas timide et dégarni. Au lieu de cela, elle avait affaire à un colosse impatient, brutal... et sexy en diable.

— Oui, ça me dérange, répondit-elle sèchement, tandis que sa main se crispait autour de la clenche de la porte. Tu... tu n'avais pas le droit.

Tybalt donna l'impression de se radoucir.

— Qui était-ce ? demanda-t-il. Et qu'est-ce que tu faisais avec lui ?

— Oh, je t'en prie ! s'exclama-t-elle.

Quelle question stupide ! Du pur Tybalt !

— Eh bien, reprit-elle, il s'appelle Cliff Nealon. C'est un très gentil garçon, et tu sais aussi bien que moi ce que je faisais avec lui. Je dînais.

L'expression de Tybalt se rembrunit. Sans attendre d'y être invité, il entra dans la maison. Tristana, automatiquement, fit un pas en arrière pour éviter le contact physique. Ce n'était pas qu'elle avait peur de lui. Tybalt était un ami ; et même, pour ainsi dire, un parent. Il ne lui ferait jamais de mal. Mais, après une telle soirée, elle avait les nerfs en pelote.

— Qu'est-ce que tu lui as dit pour le faire fuir ? demanda-t-elle.

Il répondit par un haussement d'épaules.

— Dis-moi, insista-t-elle.

— Je lui ai demandé de s'en aller. *Poliment…*

— C'est tout ?

— J'ai peut-être ajouté quelque chose comme : « Et ne remettez jamais les pieds ici ! »

— Oh, Tybalt ! se lamenta Tristana. Tu n'aurais pas dû t'en mêler. J'étais capable de régler ça toute seule.

— Ce n'est pas l'impression que j'ai eue quand il t'a embrassée.

Elle le regarda brusquement. Ah, il avait vu ça aussi ? Embarrassée, elle se passa les doigts dans les cheveux. En faisant ce geste, elle se rendit compte que la fermeture éclair de sa robe était toujours à moitié ouverte. Sa main s'immobilisa sur sa tête.

— Ce n'était rien qu'un petit bisou pour dire bonsoir.

— Ça n'avait rien d'un petit bisou, et il peut s'estimer heureux que je ne lui aie pas cassé les dents.

Tristana ravala sa salive. Elle n'avait jamais vu Tybalt dans cet état-là. Aussi terrible. Aussi sauvage.

La bretelle de sa robe était lâche et menaçait de glisser le long de son bras. Elle tira dessus. Avec son dos à demi nu, elle se sentait mal à l'aise. *Vulnérable.*

— Oublie ce type, reprit Tybalt. Ce n'est pas quelqu'un pour toi.

Tristana était distraite par sa robe qui bâillait, béait, glissait. Et, pendant ce temps-là, Tybalt la dévorait des yeux.

— Comment le sais-tu? répondit-elle. Tu ne le connais pas.

— Je le sais, c'est tout.

Elle bataillait toujours avec la bretelle de sa robe. Il tendit la main pour l'aider mais, instinctivement, elle eut un mouvement de recul, alors il n'insista pas.

— Qu'est-ce qui t'a pris de sortir avec un type pareil? demanda-t-il. Où l'as-tu rencontré?

— Puisque tu veux le savoir, il tient la pharmacie qui se trouve près de ma boutique.

Tybalt fit un pas vers elle.

— Pourquoi es-tu sortie avec lui? Qu'est-ce qui t'a décidée à accepter son invitation?

Tristana ne comprenait toujours rien à la conduite de Tybalt. Quelle mouche l'avait piqué? Pourquoi cet interrogatoire? À quelle fin?

Une idée lui traversa l'esprit. Mon Dieu! Il n'espérait quand même pas qu'elle allait se remettre en ménage avec son frère? Parce que ça n'arriverait jamais.

— Je te rappelle que cela fait plus de huit mois que le divorce est prononcé, Tybalt.

— Je sais.

— Je peux sortir avec qui je veux, quand je veux.

Il serra les dents, et les muscles de sa mâchoire tremblèrent.

— Ça aussi, je le sais.

— Alors, pourquoi te comportes-tu comme ça?

Il la regarda fixement.

— Parce que tu aurais dû me dire que tu étais de nouveau disponible!

Tristana sursauta.

Il ne voulait quand même pas dire que…

Mais, apparemment, si.

C'était là, dans ses yeux.

— Tu veux que...

— Oui, c'est ce que je veux.

Il s'approcha trop vite pour qu'elle ait le temps de battre en retraite. Lorsqu'il glissa sa main sous les cheveux et la prit par la nuque, dans un geste à la fois tendre et possessif, elle fut paralysée par l'émotion.

Personne ne lui avait jamais donné de caresse plus bouleversante.

Et encore n'était-ce rien à côté du baiser qui suivit.

Prise au dépourvu, elle s'agrippa au tee-shirt de Tybalt pour ne pas tomber. Il ne lui avait pas laissé le temps de se préparer. Elle était sans défense.

— Bon sang, dit-il d'une voix rauque, il y a trop longtemps que j'attends ça.

D'une main, il la tenait par le cou et, de l'autre, par la taille. Tristana frissonna de la tête aux pieds lorsqu'il la plaqua contre lui. Elle se sentit délicieusement féminine, soudée à ce corps puissamment musclé... et si viril : le renflement derrière la braguette de son jean était impossible à ignorer.

— C'est bien, chérie, dit-il. Frotte-toi dessus.

Choquée, elle le regarda. Elle ne savait pas quoi dire. Mais y avait-il seulement quelque chose à dire ?

Il l'embrassa de nouveau, avec une voracité délibérée. Lorsqu'il lui enfonça sa langue dans la bouche, elle gémit de plaisir, et ce gémissement fut la cause de tout.

D'un coup de talon déterminé, Tybalt repoussa la porte, qui se referma en claquant. Dégrisée par le bruit, Tristana essaya de se libérer.

— Attends ! Qu'est-ce que tu fais ?

— À ton avis ?

— Mais nous ne pouvons pas...

— C'est ce qu'on va voir.

Il la fit reculer jusqu'à ce qu'elle se retrouve plaquée contre le mur le plus proche. Elle avait le cœur battant et le souffle court. Oh, tout allait beaucoup trop vite !

— Attends ! redit-elle. Nous devrions réfléchir avant de...

— C'est tout réfléchi.

Joignant le geste à la parole, il lui glissa une main dans le décolleté. Dégrafé comme il était, le bustier de la robe glissa tout seul quasiment jusqu'à la taille. Tristana poussa un Ah! de stupeur et essaya de cacher derrière ses mains la portion de sa poitrine qui débordait du soutien-gorge pigeonnant.

Mais Tybalt n'était pas d'humeur à se laisser priver d'un aussi charmant spectacle. Il la prit par les poignets et lui écarta les bras.

— J'en ai assez d'attendre. Il est grand temps que tu apprennes à me considérer autrement que comme un ami. Tu es prête à avoir de nouveau quelqu'un dans ta vie? Je n'y vois pas d'inconvénient, pourvu que ce soit moi.

Il lui emprisonna ses deux fins poignets dans une seule de ses grandes mains, la força à lever les bras et se frotta contre elle. En même temps, de sa main libre, il lui caressa l'arrière d'une cuisse. Au contact du porte-jarretelles, ses doigts s'immobilisèrent.

— C'est bien ce que je pensais, dit-il en fronçant les sourcils. Tu avais mis des bas.

Tristana tremblait comme une feuille. Il avait maintenant glissé les doigts dans sa petite culotte. Tybalt, son excellent ami Tybalt, son confident des bons et des mauvais jours, son ex-beau-frère, était en train de lui caresser les fesses!

— En m'habillant, j'ai filé mon dernier collant, se dépêcha-t-elle d'expliquer. La paire de bas, ce n'était pas pour lui.

— Bonne réponse, commenta Tybalt d'une voix sourde.

Elle poussa un cri rauque lorsque la main de Tybalt fit le tour de sa cuisse et vint se poser sur sa motte. Diable, il savait y faire! Elle commençait à avoir du mal à respirer.

Tout doucement, il lui passa un doigt entre les jambes. La petite culotte était trempée.

— Ça, par contre, c'est pour moi? demanda-t-il.

Elle répondit par quelques sons inarticulés qui voulaient dire oui et qui scellaient sa défaite.

Ses doutes étaient nombreux mais elle choisit de les ignorer. Elle connaissait Tybalt, elle avait confiance en lui. Et, pour le moment, elle avait très envie d'être dans ses bras.

Il le sentit et se dépêcha d'en profiter. Lui lâchant les poignets, il ouvrit la braguette de son jean, baissa son caleçon jusqu'à mi-cuisses et se recula d'un pas. Tristana écarquilla les yeux en découvrant le phallus de Tybalt majestueusement dressé. À l'idée de l'avoir en elle bientôt, si gros et si long, elle se réjouit d'avance et frissonna.

— J'ai un peu peur, murmura-t-elle.

— Il n'y a pas de raison, répondit-il en se rapprochant de nouveau.

Il la saisit par les fesses, la souleva et la colla contre le mur. Elle s'abandonna sans résistance, les yeux clos. Tout étourdie, déjà ivre de désir, elle enroula ses jambes autour de sa taille. Il lui caressa encore l'entrecuisse, écarta la petite culotte, suivit le sillon avec son doigt puis, empoignant son membre, fit de même avec son gland.

Tristana rouvrit brusquement les yeux quand il commença à la pénétrer. Oh, elle était mouillée, prête à le recevoir… mais il y avait longtemps qu'elle n'avait pas fait l'amour.

— Tybalt, non! dit-elle anxieusement.

Il ne recula pas. Il ne marqua même pas la moindre pause. Bien au contraire, ayant trouvé le bon angle, il poussa plus fort. Tristana cessa de respirer. Elle était serrée et il semblait énorme. Elle l'agrippa par les épaules.

— Oh, oui, oh, oui, chantonnait-elle maintenant pour l'encourager à continuer.

Secouant ses hanches avec vigueur, il lui donna ce qu'elle demandait. Le plaisir était fulgurant. Elle enfonça ses ongles dans sa chair. L'orgasme vint tout de suite, intense, violent…

Mais ce n'était pas fini.

Quand elle reprit ses esprits, il y avait toujours Tybalt qui allait et venait en elle. Il était à moitié accroupi et balançait son bassin avec frénésie. Elle se cramponna à lui pour ne pas tomber. À chaque coup de bélier, les sensations étaient plus vives et plus intenses.

Soudain, le temps suspendit sa course. L'instant présent s'étira à l'infini. Les muscles se crispèrent. Les respirations se bloquèrent. La jouissance culmina. Les nerfs grésillèrent. Les corps furent secoués de spasmes.

Ils s'agrippèrent l'un à l'autre comme deux naufragés en attendant que la tempête s'apaise.

Lorsque son cerveau se remit à fonctionner, Tybalt se demanda comment ils avaient pu en arriver là. Il avait juste voulu s'assurer que son chevalier servant n'était pas devenu trop entreprenant. Mais, quand il avait vu l'autre crétin l'embrasser, il était devenu fou.

Ensuite, la situation leur avait échappé.

Elle n'avait pas été prête pour ça. Elle n'avait même rien vu venir. Mais, bon Dieu, lui non plus, il n'avait pas été prêt.

Il était surtout inquiet pour elle. Lui avait-il fait peur ? Ou, pis, lui avait-il fait mal ? Apparemment, non.

Elle était toujours agrippée à lui et il était toujours planté en elle. Oh combien de fois n'avait-il pas rêvé d'un tel moment ? Il avait du mal à croire que c'était vrai. Et, pourtant oui, c'était vrai, terriblement vrai, magnifiquement vrai. S'il avait pu prévoir que ce serait si bon, eux deux, il n'aurait sûrement pas attendu aussi longtemps pour la séduire !

Il la regarda bien : elle avait le front constellé de gouttelettes de sueur. Ses yeux étaient fermés, mais ses traits portaient encore la marque de son plaisir. Ses joues étaient roses, ses lèvres entrebâillées.

Marchant du mieux qu'il pouvait avec son jean baissé, il l'emporta jusqu'au canapé. En pliant doucement les genoux, il s'assit – sans à-coups, car il voulait rester en elle le plus longtemps possible.

Elle gigota un peu mais il la saisit par la taille et la força à rester tranquille. L'avantage de s'être jeté sur elle comme un Neandertal en rut, c'était qu'elle n'avait pas eu le temps d'avoir des scrupules. À présent, il fallait faire en sorte qu'elle n'ait pas le temps d'avoir des regrets.

Lorsqu'elle s'écarta un peu pour le regarder, elle avait l'air déroutée.

— Tybalt? dit-elle, presque imperceptiblement.

Il chercha à l'apaiser comme il aurait fait avec une enfant, en lui caressant le dos, en la berçant, en l'embrassant dans les cheveux.

— Ne t'inquiète pas, murmura-t-il.

Elle baissa les yeux et regarda, sous la robe chiffonnée, l'endroit où leurs deux corps étaient intimement unis. Elle devint rouge comme une pivoine.

— Ô mon Dieu, qu'est-ce que nous avons fait? s'exclama-t-elle, horrifiée.

Son embarras était sincère.

— J'espère que tu le sais, répondit Tybalt en s'efforçant de prendre un ton léger. Sinon, il va falloir que je te parle du jardinier, du plantoir, de la petite graine et tout le saint-frusquin…

Cette plaisanterie ne la fit pas sourire.

— Nous n'aurions jamais dû faire ça, dit-elle d'un ton buté.

Il poussa un soupir exaspéré. Elle y avait pris plaisir, il le savait. Elle avait même joui. Il l'avait serrée d'assez près pour la sentir tressaillir. Maintenant, elle voudrait qu'il ait des remords? Certainement pas!

— Calme-toi, dit-il en lui caressant l'intérieur des cuisses. Il n'y a pas de raison de te ronger les sangs. Nous n'avons rien fait de mal.

— Tu es mon beau-frère!

Tybalt faillit se mettre en colère.

— Je ne suis plus ton beau-frère. Comme tu me l'as si judicieusement rappelé tout à l'heure, le divorce est prononcé depuis des mois.

Il prit tendrement son visage entre ses mains. Il savait qu'ils n'auraient qu'à refaire l'amour pour qu'elle oublie aussitôt toutes ces absurdités. Ce n'était pas ce qu'il voulait.

— J'ai été un peu brusque, excuse-moi, mais nous n'avons rien fait de mal, répéta-t-il en détachant les syllabes pour se faire comprendre.

Tout en la regardant attentivement, il se mit à osciller du bassin. Elle réagit plutôt bien. Mollement assise sur lui, ses cuisses ouvertes avec décontraction, elle n'offrit aucune résistance, à part son étroitesse naturelle.

— Et même, ajouta-t-il, j'irai jusqu'à dire que nous avons bien agi.

Et il remua de plus belle.

— Tybalt! s'exclama-t-elle sur un ton scandalisé lorsqu'elle se rendit compte de ce qu'il faisait.

— J'ai envie de toi, Tristana.

— Mais…

— Il n'y a pas de mais, dit-il d'un ton ferme.

Elle le sentit se dilater et durcir en elle. Oh, c'était… c'était… Elle essaya de ne pas réagir, de rester de marbre, parce que, quoi qu'il en dise, ce qu'ils faisaient, c'était mal. C'était vicieux. Tabou.

Elle le savait.

Mais son corps ne se souciait pas de cela.

Malgré toutes les bonnes raisons qu'elle aurait eues de se refuser, elle se laissait désirer, caresser, prendre…

Il lui demanda de lever les bras et lui ôta sa robe. Puis, il l'admira.

— Mon Dieu, Tristana, tu es parfaite!

Elle se rendit subitement compte du spectacle qu'elle donnait. Qu'elle le veuille ou non, elle était très sexy: hauts talons, bas résille, porte-jarretelles en dentelles, soutien-gorge et petite culotte noirs.

Ah oui, la petite culotte!

Tybalt l'avait tournée sur le côté et coincée dans le pli de l'aine pour se faciliter la tâche. Maintenant que la robe n'était plus là, tout était à la vue: sa toison bouclée, le phallus de Tybalt surmonté d'une grosse veine palpitante, ses bourses repoussées vers le haut par les cuisses…

Elle s'affola.

— Du calme, murmura-t-il.

— Comment veux-tu que je me calme?

L'envie de fuir était plus forte que tout. C'était trop intime, tout ça. Trop… *organique!* Elle avait besoin de temps pour s'habituer.

Elle essaya de se soulever mais il la saisit par la taille et la força à se rasseoir. *Embrochée!*

— Tu as peur de moi? demanda-t-il en fronçant les sourcils d'un air sévère.

Elle répondit que non sans avoir à réfléchir.

— Je ne te ferai pas de mal, Tristana.

— Je le sais.

Il pencha légèrement la tête sur le côté.

— As-tu de l'affection pour moi? Rien qu'un peu?

— Si j'ai de l'affection pour toi? Mais bien sûr! Tu es mon meilleur ami.

— Donne-moi une chance de devenir un peu plus que ça.

Cela faisait trop longtemps qu'il la désirait pour être déjà rassasié. Tout en parlant, il lui dégrafa son soutien-gorge. Les bonnets n'avaient pas encore fini de tomber qu'il s'était emparé de ses beaux seins bien ronds et bien pleins.

Elle gémit de plaisir et rejeta la tête en arrière quand il commença à les pétrir. Avec ses pouces, il caressa les mamelons durcis.

— C'était dans l'air depuis des mois, dit-il.

— Non, répondit-elle en rabaissant la tête pour le regarder. Je n'ai rien vu venir.

— Tu as forcément senti quelque chose. J'étais ton ami le plus proche. La seule chose qui nous manquait pour que notre complicité soit totale, c'était de coucher ensemble.

Elle n'était pas d'accord avec lui, cependant elle ne pouvait quand même pas s'empêcher de le caresser sous son tee-shirt, soulignant du bout des doigts ses muscles puissants.

— Ça ne nous mènera nulle part, dit-elle. Tu es le frère de Denny.

— Je suis peut-être le frère de Denny mais je ne suis pas idiot. Denny ne connaissait pas son bonheur. Moi, si.

Le moment était venu de passer aux choses sérieuses. Il la saisit par la taille et la souleva. À la seconde où ils se séparèrent, elle poussa un cri de déception. Il sourit d'un air entendu. C'était l'ultime preuve dont il avait besoin.

En le voyant remonter son jean, elle crut qu'il s'apprêtait à partir. D'où sa surprise lorsqu'il la souleva de nouveau dans ses bras.

— Eh, qu'est-ce que tu fais ? demanda-t-elle

— Je t'emmène dans la chambre, répondit-il d'un ton guilleret. Fais-toi à cette idée, chérie. Ton ex-beau-frère va passer la nuit ici.

3

Quoi ! Il avait l'intention de passer la nuit chez elle – et pas seulement pour dormir ! À cette idée, le cœur de Tristana fit un bond dans sa poitrine.

À tort ou à raison, elle avait envie qu'il reste. Elle s'était privée de sexe pendant trop longtemps. L'étreinte contre le mur, si brève soit-elle, avait suffi à réveiller ses désirs.

Mais il y avait aussi la voix de sa conscience qui lui conseillait de refuser.

Elle frissonna lorsque le nez de Tybalt lui frôla la tempe.

— Ne te pose pas trop de questions, murmura-t-il. Laisse les choses se faire.

Bien sûr qu'elle se posait des questions. Il fallait bien que quelqu'un s'en pose.

— C'est de la folie, dit-elle.

— Tu as raison, c'est de la folie.

Le corps de Tristana s'embrasa lorsque Tybalt la cala contre sa poitrine. Avec sa silhouette d'apollon et ses muscles fermes, il avait le genre de corps dont toute femme rêve... et elle ne faisait pas exception.

Oh, ils s'engageaient sur la mauvaise pente ! Tybalt ne s'en rendait peut-être pas compte pourtant beaucoup de choses auraient mérité considération. Leurs amis. Leurs proches. *Leur vieille amitié.* Il n'y avait pas moyen d'effacer ce qui venait d'arriver mais il était peut-être encore temps de se montrer raisonnables. Elle savait qu'il arrêterait tout si elle le lui demandait.

Malheureusement, elle ne pouvait pas s'y résoudre.

Elle avait trop envie de lui, et il la serrait trop fort contre son cœur. Il s'était retiré trop brusquement. Maintenant, elle avait une pénible impression de manque entre les jambes. À côté de cela, qu'est-ce qui comptait vraiment ?

Elle désirait passer la nuit avec lui. Pour une fois, elle avait envie de s'abandonner au plaisir. Elle voulait en donner, en recevoir.

Elle ferma les yeux et, cédant à l'impulsion du moment, elle l'enlaça.

Il poussa un grognement de satisfaction. Elle le sentit flageoler un peu sur ses jambes lorsqu'elle lui frotta son sein contre la poitrine.

Un instant plus tard, il la déposa sur le sol, et elle rouvrit les yeux. Elle se retrouva au milieu de la chambre d'amis. Il avait eu la délicatesse de ne pas l'emmener dans la chambre qu'elle avait partagée avec Denny.

Elle s'agrippa aux épaules de Tybalt le temps de se mettre d'aplomb. Soudain, elle eut l'impression que quelque chose bougeait sur sa gauche, à la limite de son champ de vision. Elle tourna la tête et vit leur reflet dans le miroir de l'armoire.

Elle dut reconnaître qu'ils formaient un beau couple, harmonieux et sensuel. Entre eux, le contraste était saisissant. Elle, presque nue ; lui, tout habillé. Elle, en lingerie fine ; lui, en tee-shirt, jean et chaussures de chantier. Elle, la peau d'un blanc nacré ; lui, le teint bronzé des hommes habitués au grand air.

Tybalt tourna la tête dans la même direction qu'elle. Tout en se regardant faire, il lui caressa les hanches, le creux des reins et, après avoir passé la main dans la petite culotte déjà terriblement malmenée, les fesses.

— Oh, Tybalt ! s'exclama-t-elle.

À la seconde suivante, elle se retrouva sur le lit, les jambes ouvertes. Il lui mit son genou entre les cuisses avant qu'elle n'ait eu le temps de les refermer.

Haletante, elle le regarda. Elle se fit l'effet d'une victime promise au sacrifice alors qu'il était penché sur elle avec son membre tout raide qui surgissait de sa braguette ouverte.

— Que veux-tu que je fasse ? demanda-t-elle, incapable de cacher sa nervosité.

C'était si nouveau pour elle, si choquant.

— Fais tout ce qui te plaira, ma belle.

Lorsqu'il lui caressa le ventre, elle tressaillit comme si elle avait reçu une petite décharge électrique. Puis, avec des mains qui tremblaient un peu, il lui toucha sa toison et elle se retrouva au comble du désir.

Se penchant, il la déchaussa. En même temps, il l'embrassa à l'intérieur de la cuisse, dans l'espace dénudé au-dessus du bas. Son souffle chaud et humide lui frôla l'entrejambe, faisant frémir les petites lèvres comme des pétales de fleur dans la brise. Instinctivement, elle l'attrapa par les cheveux pour l'inciter à rester là. C'était si bon.

Soudain, avec des gestes précipités, il lui ôta sa culotte mais lui laissa ses bas et son porte-jarretelles, qui encadraient son sexe et le mettaient si bien en valeur.

Tristana écarta les genoux et se laissa contempler. Elle savait que ce qu'ils étaient en train de faire était, en un sens, contraire aux bonnes mœurs. Elle aurait dû avoir peur ou, au moins, se sentir mal à l'aise. Elle n'avait pas prévu de prendre un amant ce soir. *Et certainement pas son ancien beau-frère.* Mais elle avait été sage trop longtemps. Elle avait envie de goûter au fruit défendu. Et, malgré ses réticences du début, elle était soudain contente que Tybalt ait réussi à vaincre ses réticences.

Elle avait confiance en lui.

— Je t'en prie, dit-elle, prends-moi.

Il se passa nerveusement la main dans les cheveux, alors qu'elle était là devant lui, offerte et vulnérable.

— Dépêche-toi ! insista-t-elle d'une voix suppliante.

La verge de Tybalt tressauta.

— Aide-moi, dit-il.

D'abord, elle ne sut pas quoi faire. Mais, lorsqu'il l'attira jusqu'au bord du lit et se mit debout entre ses cuisses, elle comprit ce qu'il voulait. Elle s'apprêta à lui passer ses jambes autour des hanches mais il ne lui en laissa pas le temps. Il la prit par les chevilles et l'écartela.

La position était nouvelle pour elle, insolite, excitante.

Lorsqu'il la pénétra, d'une seule poussée brusque et rectiligne, elle poussa un cri de joie. Les yeux fermés, les dents serrées, elle s'agrippa à la courtepointe et se mit à agiter son bassin de façon désordonnée.

Bientôt, Tybalt ne se contrôla plus. Il allait et venait, donnant de grands coups, avec d'amples mouvements de bassin. La rugueuse étoffe de son jean frottait contre les délicates cuisses de Tristana mais elle n'en souffrait pas. Au contraire, la petite irritation était une occasion supplémentaire de plaisir. L'heure n'était pas à la douceur, à la lenteur, aux raffinements délectables. Elle voulait de la force, de l'intensité.

Il la prit par les mollets, la souleva jusqu'à ce qu'elle n'ait plus que les épaules qui touchent le matelas et se regarda aller et venir en elle.

Cela fut vite fini… tout en paraissant durer une éternité. Au moment de l'extase, Tristana se cambra. Encore quelques poussées, et ce fut le tour de Tybalt. La tête en arrière, au moment où il se déversait en elle, il poussa une sorte de brame étrange.

Bientôt, il n'y eut plus un seul bruit dans la pièce, sauf leurs souffles.

Tristana devint toute molle. Tybalt l'installa au milieu du lit et s'allongea près d'elle. Respirer était soudain devenu la chose la plus éprouvante du monde.

— Est-ce que c'est toujours comme ça ? demanda-t-elle d'une voix haletante.

— Pour le savoir, répondit-il, aussi époumoné qu'elle, il va falloir renouveler l'expérience.

En signe d'assentiment, elle se lova contre lui.

— Bon sang ! s'exclama-t-il. La prochaine fois, je retirerai mon pantalon.

C'était du Tybalt tout craché. Tristana en aurait ri mais elle était trop fatiguée. Elle se contenta de sourire.

— On ne va quand même pas faire ça toute la nuit ?

Tybalt redressa la tête. Cette gageure éveillait manifestement son intérêt.

— Qu'est-ce que tu paries ?

Vaille que vaille, il réussit à se mettre dans la position assise. Il ôta son tee-shirt, ses chaussures, son jean et son caleçon et puis il se recoucha et la regarda d'une drôle de façon.

Il avait l'air d'un prédateur – et elle était sa proie.

Elle cessa de sourire.

— Tu es dangereux, murmura-t-elle.

— Toi aussi.

La regardant avec des yeux brûlants, il se coucha sur elle. Il était plus lourd qu'il n'en avait l'air. Pas une once de mauvaise graisse dans ce corps d'athlète. Rien que du muscle.

Et du désir.

Les jambes de Tristana s'ouvrirent d'elles-mêmes. Il s'enduisit le gland de salive et la pénétra doucement. Elle se mordit les lèvres. C'était tellement délicieux qu'elle se sentit prête à jouir de nouveau.

— C'est bon, murmura-t-elle.

Leurs jambes entremêlées, chair dans chair, ventre contre ventre, leurs haleines mélangées, leurs yeux grands ouverts, leurs regards agrafés, le même plaisir circulant dans leurs veines… Ce n'était pas seulement bon, pensa Tybalt.

C'était le paradis sur terre.

Emporté par un élan du cœur, il se pencha vers elle, l'embrassa dans le cou, lui mordilla le lobe de l'oreille.

C'est là que la vérité lui échappa :

— Je t'aime, Tristana.

4

Lorsqu'il se réveilla un peu plus tard dans la nuit, Tybalt se retrouva seul dans le lit. La place de Tristana était vide et froide. Repoussant brusquement les couvertures, il partit à sa recherche. Elle n'était pas dans sa chambre, ni sur le canapé du salon. Sa voiture était dans le garage mais la maison était plongée dans l'obscurité. L'inquiétude de Tybalt ne fit que croître. Il n'était pas loin de l'affolement lorsqu'il la trouva enfin, assise sur les marches du perron, à l'arrière de la maison.

Appuyé contre le mur, il attendit que les battements de son cœur aient un peu ralenti.

Bon Dieu, qu'avait-il fait ? Qu'est-ce qui l'avait poussé à se comporter ainsi, comme un éléphant dans un magasin de porcelaines ?

Il n'avait jamais prévu de se jeter sur elle. Ça s'était passé comme ça.

Ne sachant quelle conduite tenir, il l'observa à travers la porte vitrée. Elle avait l'air fragile et abandonnée. Il avait envie de la rejoindre. Mais pour dire quoi ? Il n'en avait déjà que trop dit…

Ce n'était pourtant pas en restant planté là qu'il allait arranger les choses. Il saisit la clenche d'une main ferme. À part tressaillir un peu en entendant la porte coulisser sur son rail, Tristana ne bougea guère.

— Tu n'arrives pas à dormir ? demanda-t-il.

Il s'assit sur une marche, juste derrière elle, et étendit ses jambes, une de chaque côté. Elle portait un déshabillé en satin bordé de duvet de cygne. Vieux rose, semblait-il. Le clair de lune ne le mettait guère en valeur, lui donnant une couleur indéfinissable, vaguement orangé. Tybalt avait le sentiment que, dans la lumière du jour, il serait sexy en diable.

— Je n'ai pas l'habitude de partager mon lit avec quelqu'un qui prend toute la place, dit-elle d'un ton neutre.

— Désolé.

La nuit était tranquille. Pourtant, Tybalt ne s'était jamais senti aussi nerveux. Il faisait toujours chaud et humide, mais ce n'était pas pour ça qu'il avait du mal à respirer. D'un geste faussement désinvolte, il prit le verre qu'elle avait à la main et but une gorgée. Une rasade de whisky aurait sans doute mieux convenu, mais la limonade fit l'affaire.

Pour détendre l'atmosphère, il montra la pelouse. L'obscurité ne réussissait pas à dissimuler que l'herbe était haute et mal soignée. Avec ce temps, c'était impossible de la couper aussi vite qu'elle poussait.

— Ton jardinier ferait bien de se remuer, dit-il.

L'ombre d'un sourire passa sur les lèvres de Tristana.

— Oui, quel flemmard, celui-là ! murmura-t-elle.

Il lui donna un petit coup de coude : c'était lui, le jardinier en question.

— Peut-être qu'il aurait besoin d'un petit geste d'encouragement.

Ce n'était pas la chose à dire. Le sourire de Tristana s'effaça, et ses épaules s'affaissèrent. Tybalt s'en voulut. Il fallait bien reconnaître que le tact n'avait jamais été son fort.

S'armant de courage, il la prit par la taille et se pencha en avant pour lui parler à l'oreille.

— Ce n'est pas parce que j'ai dit : « Je t'aime » que tu es obligée de le dire aussi.

Elle frémit et essaya de se dégager.

— Mais, je…

— Détends-toi, dit-il en l'interrompant. Tout va bien.

Il la serra contre lui. Elle résista encore un peu avant de s'abandonner.

Cela suffit pour qu'il se sente moins mal. Elle avait toujours confiance en lui. C'était déjà beaucoup.

Ils restèrent longtemps sans bouger ni prononcer un mot. Les insectes bruissaient. Quelques oiseaux chantaient déjà. Leurs joyeux pépiements exaspérèrent Tybalt.

— Ça fait combien de temps ?

La question de Tristana le prit au dépourvu.

— Quoi ?

Pour commencer, elle ne dit rien et, lui, il retint son souffle.

— Ça fait combien de temps que tu éprouves ce sentiment-là vis-à-vis de moi ?

Il poussa un profond soupir. Oh, ils s'aventuraient en terrain glissant ! Elle avait besoin de savoir. Et, cette fois, il avait envie de tout dire. Il cachait la vérité depuis trop longtemps.

— Depuis que Denny t'a amenée à la maison pour le réveillon de Noël, au début de vos fiançailles.

Elle se retourna pour le regarder par-dessus son épaule.

— C'est-à-dire la première fois que nous nous sommes rencontrés.

— En général, les coups de foudre, c'est comme ça.

Elle commença à s'agiter. Il la pressa doucement contre lui et lui chipa à nouveau une gorgée de sa limonade, car il avait la gorge comme du papier de verre.

— Tu n'as eu qu'à franchir la porte, et j'étais cuit.

Tristana toussota mais sa voix n'était toujours pas claire lorsqu'elle balbutia :

— Je... euh, je n'ai jamais rien remarqué.

— Tu n'as jamais pensé que j'avais l'air d'un amoureux transi ?

Il essayait d'en rire mais ça ne marchait pas.

— Tu étais la fiancée de mon frère et ensuite sa femme, rappela-t-il sobrement. C'est pourquoi j'ai fait de mon mieux pour que tu ne t'aperçoives de rien. Et les autres non plus.

Elle récupéra son verre de limonade. Il remarqua qu'elle tremblait.

— Tu sais, poursuivit-il en lui posant son menton sur l'épaule, ce n'était pas seulement physique. Oh, je ne suis pas aveugle et j'ai vu tout de suite que tu étais désirable ! Mais j'avais surtout de l'estime pour toi. Parce que tu étais adorable… gentille… intelligente… fine… délicate… En général, les filles comme toi ne s'intéressent pas aux gros lourdauds comme moi…

Elle vida son verre d'un trait, le posa par terre et frotta nerveusement ses mains contre ses cuisses.

— Le divorce est prononcé depuis longtemps maintenant. Pourquoi n'as-tu pas… enfin, je ne veux pas dire que je l'espérais, mais…

— Tristana ! murmura-t-il tendrement. Je me disais qu'après avoir enduré tout ça, tu ne devais pas avoir le cœur à la bagatelle.

Dans la mesure où il n'y avait eu ni cris ni grincements de dents, les gens pensaient que le divorce s'était plutôt bien passé. Tybalt, lui, n'était pas dupe des apparences. Tristana avait été dévastée par l'échec de son mariage. Il le savait car c'était lui qui avait recollé les morceaux – pas dans l'espoir de profiter de la situation mais parce que, lui aussi, il avait été déçu.

Il avait espéré que le couple durerait.

Parole d'honneur, il l'avait espéré. Denny était son frère. Il lui souhaitait tout le bonheur possible dans son ménage… même si ça le condamnait à se morfondre.

Mais la manière dont tout ça avait fini…

Rien que d'y penser, la colère le reprenait.

Pour autant qu'il s'en souvenait, Denny avait toujours été le préféré. La huitième merveille du monde. Celui qui faisait tout bien – avec sa famille, ses amis, les médias… La star des All-Stars. L'enfant chéri du public. Lorsqu'il avait découvert que son petit frère n'était pas parfait, Tybalt était tombé de haut.

En remâchant un juron, Tybalt caressa le bras de Tristana. Elle n'avait pas mérité ça. Ils n'avaient mérité ça ni l'un ni l'autre.

— Depuis huit mois, tout s'est passé comme si nous sortions ensemble. À part que nous ne couchions pas ensemble.

Elle n'aurait peut-être pas été prête à l'admettre mais c'était pourtant vrai. Au début, il s'était contenté de l'aider dans la maison. Ayant repéré qu'une des marches du perron était cassée, il était devenu son réparateur. Et puis, son mécano. Lentement mais sûrement, une intimité était née entre eux. Elle avait pris l'habitude de le garder à dîner chaque fois qu'il venait tondre la pelouse. Le mardi soir, il y avait cinéma, quelquefois en ville, quelquefois à la maison, mais toujours avec pop-corn. Ils se téléphonaient au moins une fois par jour.

C'est pourquoi il était devenu furieux lorsqu'il l'avait vue avec le pharmacien. D'une part, parce qu'elle ne lui avait pas parlé de ce rendez-vous, mais, surtout, parce qu'il considérait qu'elle était déjà à lui.

Elle croisa ses mains sur son ventre pour les empêcher de trembler.

— Je pensais qu'il n'y avait que de l'amitié entre nous, rien de plus.

« Ah, non ! Pitié ! » pensa Tybalt. Elle n'allait pas lui faire le coup du *Soyons bons amis*. Tout mais pas ça !

— As-tu déjà remarqué que tu étais timide et silencieuse avec tout le monde sauf avec moi ? demanda-t-il d'une voix de plus en plus rêche.

— Oui, répondit-elle après un long moment de réflexion.

— Il doit bien y avoir une raison.

Plutôt que de laisser voir son découragement, il l'enlaça et, d'un geste décidé, glissa ses mains entre les pans du déshabillé.

— Je ne peux plus me contenter d'être ton ami, Tristana.

Elle se cambra lorsqu'il lui toucha les seins mais il ne battit pas en retraite pour si peu. Elle aimait qu'il la touche, et il n'avait pas honte d'en profiter. Se penchant, il lui planta çà et là des baisers dans les cheveux.

— Et, ajouta-t-il, je pense que, toi non plus, tu n'es plus prête à t'en contenter.

Plutôt que de nier l'évidence, elle se laissa glisser en arrière et s'abandonna contre lui. Lorsqu'il l'embrassa dans le cou, il sentit les pulsations rapides et saccadées de son pouls.

— Tybalt, j'ai peur.

À ces mots, il se figea. Et, soudain, il eut beaucoup de mal à respirer.

— De moi? demanda-t-il d'une voix blanche.

— Non, répondit-elle en s'agitant. De tout ça.

Et elle engloba d'un geste vague le ciel étoilé, le jardin, la maison, eux deux...

— Pourquoi?

Elle se retourna pour le regarder en face.

— Tu ne comprends pas? C'est pourtant simple. Je tiens à toi. C'est pourquoi c'est si effrayant: parce que je n'ai pas envie de te faire du mal.

— J'avais raison de dire que tu te posais trop de questions, murmura-t-il. Prends tout doucement les choses comme elles viennent. Nous en avons envie autant l'un que l'autre. Ce serait absurde de s'en priver...

— J'ai tant à perdre, soupira-t-elle en inclinant la tête sur le côté, ce qui lui donna malgré elle un air suppliant. Non, écoute, enchaîna-t-elle en le voyant prêt à la contredire. Lorsque j'ai divorcé d'avec Denny, j'ai perdu bien plus qu'un mari. J'ai également perdu tes parents.

— Mes parents? Qu'est-ce qu'ils ont à voir là-dedans?

Il avait parlé plus fort qu'il n'aurait souhaité, mais tant pis. Elle n'allait quand même pas se servir de ça comme excuse... ou alors, il s'était lourdement trompé sur son compte. Il commençait à voir rouge mais sa colère se dissipa lorsqu'elle lui caressa tendrement la joue.

— C'est tout ce que j'avais comme famille, Tybalt. J'étais fille unique. J'ai perdu mes parents dans un accident de la route lorsque j'avais vingt ans.

— Je sais, répondit-il.

À présent, il parlait tout bas. Elle semblait au bord des larmes, et il ne voulait pas risquer de l'effrayer. Si par malheur elle se mettait à pleurer maintenant, il ne saurait pas quoi faire.

— Ta mère a toujours refusé d'écouter un seul mot de critique contre Denny. Et ton père, c'est bien simple, il ne veut plus me voir.

Elle marqua une pause, le temps de ravaler sa salive.

— Non, reprit-elle en hochant la tête, je ne peux pas me permettre de te perdre aussi.

Le perdre, *lui* ? Tybalt était stupéfait. Cela faisait trois ans qu'il l'aimait en secret. Il touchait enfin au but. Elle ne pourrait jamais s'en faire un ennemi, même si elle essayait.

— Tu ne me perdras pas.

— J'ai perdu Denny.

Et alors ? Elle n'allait pas se mettre à le regretter. Il n'aurait plus manqué que ça !

— Ce n'était pas ta faute.

— Les responsabilités sont partagées, forcément. Dans un mariage, on est deux.

— Tu as raison. *Deux*. Pas trois ou quatre ou trente-six.

Elle le regarda avec des yeux ronds.

— Tu étais au courant ?

— Mouais…

Elle baissa les yeux, l'air embarrassé, presque honteux. Il n'y avait pourtant pas de raison. Elle n'était coupable de rien. Mais Denny était sans doute suffisamment vaniteux et narcissique pour lui avoir laissé entendre qu'elle méritait d'être trompée – et elle, suffisamment humble pour l'avoir cru.

Tybalt était révolté. Il ne voulait pas payer pour les fautes de son frère. D'un geste maladroit, craintif et tendre, il écarta une mèche qui pendait devant les yeux de Tristana. Et tant pis si elle s'apercevait que sa main tremblait.

— Écoute, dit-il, je sais ce que c'est que de compter pour du beurre à côté de Denny. C'est toute l'histoire de ma vie. Mes parents sont comme ça, même s'ils ne le font pas méchamment.

Elle poussa un petit cri plaintif et se détourna. Il la prit par le menton et la força à le regarder de nouveau. Elle avait les yeux qui brillaient. Des larmes. Bon Dieu !

— Ce qui se passe ici entre toi et moi, ça n'a rien à voir avec les autres, dit-il d'une voix sourde. Je ne suis pas Denny. Moi, je ne te ferai jamais de mal, je te le jure.

Elle poussa un long soupir.

— Ça ne va pas être une aventure d'un soir, n'est-ce pas ? demanda-t-elle d'une voix fluette et entrecoupée.

— Non, répondit-il avec assurance. Loin de là...

Cédant enfin à l'envie qui le taraudait depuis le début, il l'embrassa. Avec légèreté, avec lenteur, pour commencer, et puis de plus en plus fougueusement. Il la prit par la nuque, lui enfonça ses doigts dans les cheveux.

C'est seulement à ce moment-là qu'elle s'aperçut qu'il était tout nu.

Et en érection.

— Viens te recoucher, chérie.

Elle resta sans bouger pendant un moment interminable. Tybalt attendit, tous ses muscles douloureusement crispés. Elle le regarda dans les yeux et dut y lire des choses qui la rassurèrent car, finalement, elle s'abandonna dans ses bras.

Pour la première fois depuis qu'il s'était réveillé seul dans le lit, Tybalt se détendit.

Non, leur histoire n'était pas vouée à l'échec.

— Bon, maintenant, ça suffit, dit Kelly en sortant du four un plateau de meringues.

Elle le posa sur le plan de travail, se retourna et mit les mains sur les hanches.

— Puisque tu ne veux rien dire, je suis obligée de te poser la question. Ça s'est passé comment, hier soir ?

Tristana se figea au milieu de ce qu'elle était en train de faire. Son associée était au courant ? Déjà ?

Elle fut prise de panique. Comment expliquer ce qui s'était passé ? Elle ne le savait pas elle-même ! Il y avait eu l'ambiance, la chaleur, une bouffée de désir. Tybalt.

Surtout Tybalt.

— Hier soir ? répéta-t-elle pour gagner du temps.

— Avec Cliff. Le pharmacien.

Ah oui, Cliff! Son premier rendez-vous en huit mois. Celui que Kelly l'avait poussée à accepter... Elle l'avait complètement oublié!

— Pas la peine de faire la cachottière avec moi, dit Kelly avec une pointe d'impatience dans la voix. Tu sais bien que je réussis toujours à te tirer les vers du nez.

En poussant un bref et discret soupir de soulagement, Tristana se remit à l'ouvrage. À l'aide d'une poche à douille, elle garnissait de confiture de figues des canapés au foie gras. Un geste qu'elle connaissait par cœur. Heureusement, car elle avait l'esprit ailleurs.

— Les choses ne se sont pas du tout passées comme Cliff l'avait prévu.

— Raconte-moi.

— Eh bien, il m'a emmenée dans un restaurant qui n'était pas le bon.

— Pas le bon? Qu'est-ce que tu veux dire? Que la nourriture était mauvaise?

Tristana tourna vers son amie un regard amusé.

— Il m'a emmenée au *Tourniquet*.

— Au *Tourniquet*! se récria Kelly en préparant une nouvelle fournée de meringue. Inviter une femme à dîner dans un banal grill-room! Quelle drôle d'idée!

— Il a confondu avec le *Tournebroche*.

Tristana pinça les lèvres. Ce n'était pas charitable de se moquer mais elle revoyait la tête de Cliff quand il s'était rendu compte de son erreur: impayable!

— Non? fit Kelly.

— Si! Il avait réservé une table et tout et tout...

Kelly éclata de rire.

— Mais tu avais prévu de porter ta petite robe noire!

— C'est ce que j'ai fait, dit Tristana.

C'est même là que les ennuis avaient commencé.

— Et lui, reprit-elle, c'était costume sombre, chemise blanche, cravate. On avait l'air malins!

— Et, quand il a vu le parking plein de camions, ça ne lui a pas mis la puce à l'oreille?

Tristana hocha la tête.

— Penses-tu! Il ne s'est rendu compte de rien jusqu'à ce que je lui montre l'enseigne au néon.

Kelly rit de plus belle, aussitôt imitée par Tristana, le rire étant contagieux par nature.

— C'est pas de veine, soupira Kelly. J'aurais été contente pour lui s'il avait réussi à te charmer.

— Bah, l'erreur est humaine! dit Tristana en essayant de reprendre son sérieux. Cliff est un brave garçon... à part qu'il est fan de Denny.

Kelly fit la grimace. Elle n'avait jamais porté dans son cœur l'ex-mari de son amie.

— Tu veux rire?

— Pas du tout. Il n'a fait que me poser des questions à son propos.

Elle haussa mollement les épaules et ajouta:

— Je pense que c'est pour ça qu'il a tenu à sortir avec moi.

— Bah voyons! Et ta jolie frimousse et tes longues jambes n'y sont pour rien, bien entendu!

Kelly poussa un bruyant soupir en hochant vigoureusement la tête.

— Cliff, fan de Denny! reprit-elle avec du dédain dans la voix. C'est incroyable! Eh bien, celui-là, tu peux le rayer de ta liste. Nous allons te trouver quelqu'un d'autre. Quelqu'un de miam-miam...

Quelqu'un de miam-miam. Il n'y avait pas de meilleure façon de décrire Tybalt! Tristana, tête baissée, se remit à déposer ses minuscules tortillons de confiture sur les canapés. Pendant ce temps, Kelly enfourna les meringues et régla le thermostat.

— Quelqu'un, reprit-elle, qui préférera t'enlever ta robe que parler base-ball.

« Les canapés, se dit Tristana. Concentre-toi sur les canapés. »

— C'est à quelle heure, déjà, la garden-party? demanda-t-elle pour essayer de changer de conversation.

Kelly tourna doucement la tête vers elle et la regarda en plissant les yeux.

— Deux heures, répondit-elle. Tu le sais mieux que moi. C'est toi qui as pris la commande.

— Oui, c'est vrai… Eh bien, on a intérêt à se dépêcher si on ne veut pas être en retard.

Elle rangea les canapés dans le réfrigérateur et puis, sans perdre une seconde, enfila une paire de gants en vinyle et commença à couper le saumon. Elle sentait que, dans son dos, Kelly l'observait.

— Eh, qu'est-ce qui t'arrive ?

— Que veux-tu dire ? demanda Tristana d'une voix mal assurée.

Kelly s'approcha tout doucement.

— Tu es toute rouge.

— Il fait chaud, ici.

— C'est moi qui travaille près du four, fit observer Kelly. Et tu n'avais pas les joues rouges jusqu'à ce que je parle de quelqu'un de miam-miam.

Tristana essaya de rester impassible.

— Il n'est pas un peu trop chaud, ton four, pour des meringues ?

Kelly ne se laissa pas abuser. Elle se tapota un instant la pointe du menton avec son index, comme un joueur d'échecs qui méditerait son prochain coup.

— Tu as eu l'air absente toute la matinée.

— Oui, eh bien, c'est que j'ai beaucoup…

—… baisé ?

Tristana fut tellement surprise par la brutalité et la crudité de ce seul mot qu'elle sursauta. Elle faillit même laisser tomber son couteau.

— Je m'en doutais ! s'exclama triomphalement Kelly. Tu as fait l'amour hier soir. Je l'ai compris en voyant ton air chaviré quand j'ai parlé de quelqu'un qui t'enlèverait ta robe.

Tristana aurait peut-être essayé de nier, mais elle avait perdu sa langue.

— Alors ? demanda Kelly avec gourmandise. Comment ça s'est passé ? C'était chaud comme la braise, à en juger d'après ta mine. Allez, accouche ! Je n'aurais jamais cru ça de lui. Mais, bon ! comme on dit : « Il faut se méfier de l'eau qui dort. » Je suppose qu'il s'est surpassé pour te faire oublier le mauvais dîner…

Lorsqu'elle comprit enfin de quoi Kelly parlait, Tristana ouvrit des yeux ronds.

— Cliff? s'exclama-t-elle d'une voix couinante.

Le visage de Kelly prit une expression comique.

— Quoi, ce n'était pas Cliff?

Tristana, penaude, piqua du nez. Ah, pourquoi n'était-elle pas plus douée pour dissimuler ses sentiments? Ses amis lisaient sur son visage comme dans un livre ouvert!

Comme elle n'avait pas la moindre envie de parler de ce qui s'était passé la veille au soir, elle pivota et fit semblant de s'activer.

— Mais tu as néanmoins fait l'amour, insista Kelly, pas facile à décourager. Et, si ce n'était pas avec Cliff, alors, avec qui?

Comme une automate, Tristana essuya sur son plan de travail, avec un morceau de papier absorbant, des taches imaginaires. Puis, elle sortit du réfrigérateur un bol de sauce au Roquefort qu'elle tartina sur des canapés en la manipulant aussi précautionneusement que si c'était de la nitroglycérine.

— Raconte, dit Kelly.

— Non.

— Comment, non? Bien sûr que si! Tu as commencé, tu es obligée de finir.

— Non, je ne suis obligée à rien.

C'est alors que le grelot de la porte d'entrée se fit entendre et les deux femmes soupirèrent en chœur: Kelly, d'exaspération et Tristana, de soulagement.

Kelly regarda dans la boutique, curieuse de savoir quel était l'importun qui venait interrompre leur conversation au moment où elle devenait vraiment intéressante.

— C'est Tybalt, annonça-t-elle. Et il a un bouquet de fleurs à la main.

Tristana se pétrifia et, soudain, tout devint clair aux yeux de Kelly, qui soupira:

— Ô mon Dieu!

Tristana ferma les yeux. Elle n'était pas prête à voir Tybalt. Elle n'était pas prête à gérer ce genre de situation.

Elle n'aurait pas la force d'affronter un nouveau scandale. Le divorce avait été assez pénible comme ça.

— Ô mon Dieu ! répéta Kelly, sur un ton accablé.

Tristana commença à trembler. Une catastrophe à la fois ! Pour l'heure, il fallait qu'elle s'occupe de Tybalt.

Elle ôta ses gants et son tablier et, après avoir jeté un coup d'œil à son reflet dans la porte du four, s'apprêta à le rejoindre dans la boutique.

Ce matin, elle avait quitté la maison sur la pointe des pieds pour ne pas le réveiller. Il ne travaillait pas le samedi mais elle, si. Pour être honnête, son travail lui avait fourni une excuse en or. Ouvrir les yeux et se retrouver blottie contre ce colosse nu… ç'avait été déconcertant.

Voluptueux, mais déconcertant.

Elle se frotta nerveusement les mains l'une contre l'autre, toujours pas sûre de ses sentiments. Depuis ce matin, elle avait l'impression d'être sur des montagnes russes. Lorsqu'elle pensait à ce qui leur arrivait, elle oscillait entre l'enthousiasme et le découragement, le désir et la peur.

Cette nuit, dans la pénombre, il lui avait fait éprouver des sensations inouïes.

Mais, ce matin, elle ne pouvait échapper au fait qu'il était le frère de Denny.

— Allez, vas-y, dit Kelly.

Tristana prit une profonde inspiration. À quoi bon lambiner ? Rassemblant son courage, elle entra dans la boutique.

Tybalt était là, grand et beau. Et tellement *miam-miam*…

— Salut, ma belle, dit-il d'une voix grave et caressante.

Il la regarda de haut en bas. On attrape chaud dans une cuisine en pleine canicule, c'est pourquoi Tristana n'était pas très couverte. Soudain, elle trouva son bustier un peu riquiqui et son short un peu trop court. Ça recommençait comme au *Tourniquet*. Ses seins pointèrent à travers l'étoffe de son bustier, et elle ressentit des picotements dans le bas-ventre.

— Salut, murmura-t-elle.

Il s'approcha à pas lents et chaloupés.

— Tu es occupée ? demanda-t-il.

Elle jeta un coup d'œil par-dessus son épaule. Kelly était quelque part, là derrière, en train d'écouter.

— Oui, répondit-elle.

— Je ne vais pas te retenir longtemps.

Il fit encore un pas vers elle et lui tendit son bouquet : un assortiment de roses rouges, rose pâle et blanches.

— Tu es partie si vite ce matin, ajouta-t-il. Je voulais savoir comment tu allais.

— Je vais très bien, merci.

Elle accepta le bouquet et le huma.

— Les rouges pour exprimer la passion, expliqua-t-il. Les roses pour la tendresse et les blanches pour le respect...

Non sans inquiétude, elle se sentit fondre.

— Oh, Tybalt ! susurra-t-elle.

— Dînons ensemble ce soir.

Elle le regarda d'un air stupéfait. Ce n'était pas fairplay de sa part. Hier, une invitation à dîner n'aurait pas tiré à conséquence. Aujourd'hui, c'était une tout autre affaire.

Elle ne savait quand même pas quoi répondre.

— Es-tu folle ? dit une voix derrière. Dis oui, bon Dieu !

Tristana leva vers Tybalt des yeux de biche aux abois.

— Écoute-la, dit-il. Elle est de bon conseil. Tu te poses trop de questions...

— C'est trop compliqué pour moi, murmura-t-elle.

— Je ne vois pas ce qu'il y a de compliqué là-dedans. On va faire ça à la bonne franquette. On peut même retourner au *Tourniquet,* si ça te chante. Rien ne t'empêche de te mettre en jean et je t'apprendrai à jouer aux fléchettes.

Il la prit par la nuque.

— J'ai juste envie de passer un peu de temps avec toi.

C'était presque impossible de refuser, pourtant...

— Tu vas t'attendre que...

— À rien, dit-il en l'interrompant. Nous finirons la soirée comme nous la finirons. C'est toi qui décideras…

Il l'attira vers lui jusqu'à ce que leurs bouches se touchent presque.

— Mais, ajouta-t-il, pour te dire la vérité, je préférerai que ça se termine au lit ensemble.

Sur ce, il l'embrassa, avec lenteur, avec gourmandise. Elle ne chercha pas à lui résister. Elle en était incapable. Après ce qui s'était passé la nuit dernière, elle était sans défense contre lui.

Lorsqu'il l'eut bien savourée, il la repoussa doucement.

— À ce soir, dit-il, un peu essoufflé.

— À ce soir, acquiesça-t-elle.

— Je serai chez toi, précisa-t-il en partant à reculons vers la sortie. J'ai la pelouse à tondre.

Tristana était toujours pétrifiée au milieu de la boutique lorsque Kelly vint la retrouver. Côte à côte, elles regardèrent s'en aller le pick-up de Tybalt.

— Mon Dieu, quel bel homme! s'exclama Kelly.

Autant elle méprisait Denny, autant elle raffolait de Tybalt.

— La beauté ne se mange pas en salade, murmura Tristana.

— Ose prétendre que tu n'y es pas sensible!

Tristana devint toute rouge.

— Sa silhouette de travailleur de force ne manque pas de charme, je l'avoue, reconnut-elle à voix basse.

— C'est vrai, approuva Kelly.

Pendant un instant, les deux jeunes femmes restèrent sans rien dire, immobiles et les yeux dans le vague.

— Quand je pense que tu voulais me le refiler, dit enfin Kelly.

Tristana éprouva un pincement de cœur. Les premières atteintes de la jalousie?

— Il avait d'autres projets, dit-elle d'un ton pincé.

— C'est ce que je vois.

Kelly s'adossa au comptoir et, donnant libre cours à sa curiosité, demanda:

— Alors, que s'est-il passé ?

Tristana se mordit la langue. Mais à quoi bon faire des mystères maintenant ? Et puis, elle avait besoin de se confier.

— Il était au *Tourniquet* hier soir.

— Et il t'a vue avec Cliff ? s'exclama Kelly en s'animant. Ô mon Dieu, j'aurais voulu être une petite souris pour assister à la scène. Il a piqué une crise de jalousie ? Et c'est comme ça qu'il s'est enfin décidé à se déclarer ?

Tristana repensa à la manière dont Tybalt était venu tambouriner contre sa porte. Oui, il avait piqué une sacrée crise. Un mot, cependant, retint son attention.

— *Enfin ?*

— Il y a longtemps que j'ai remarqué la façon dont il te regarde quand il croit que personne ne l'observe, expliqua Kelly. Oh ! là, là ! poursuivit-elle en regardant le bouquet. Un beau mec qui t'offre des fleurs après t'avoir emmenée au septième ciel : quelle chance tu as !

Tristana baissa les yeux. Avec ses roses, Tybalt avait touché un point sensible. Mais elle ne voulait pas se laisser émouvoir. Elle avait de bonnes raisons de se méfier de l'amour.

— Tu crois ?

Kelly marqua de l'étonnement.

— Quoi ! Tu n'en es pas convaincue ?

Cette fois, Tristana leva les yeux au ciel. Non, elle n'avait pas de chance. Au contraire, et pour une raison évidente.

— C'est le frère de Denny.

— Et alors ?

— Et alors, qu'est-ce que les gens vont penser ? Qu'est-ce qu'ils vont dire ?

— Euh, que vous formez un beau couple ? Que tu aurais dû commencer par lui au lieu de t'amouracher de ton joueur de base-ball à la manque.

— Kelly !

— Quoi ! On s'en fout du qu'en-dira-t-on ! Denny Christiansen t'a trompée chaque fois que les All-Stars sont allés jouer à l'extérieur. À l'heure où nous parlons, il doit être en train de collectionner les conquêtes au pays des petites jambes arquées. C'est un minable. Tybalt, lui, c'est une autre paire de manches. Tybalt, c'est du premier choix. Tu le sais aussi bien que moi.

Elle tapa du poing sur la table pour souligner son propos, ce qui fit sursauter Tristana.

— Ne fais pas l'idiote, reprit-elle. Écoute ce que te dit ton cœur et mets le grappin sur le magnifique Tybalt Christiansen.

Tristana étreignit ses roses, faisant crisser le papier transparent qui les enveloppait.

— Le problème, c'est que je ne sais pas ce que me dit mon cœur.

— Alors, tâche de te renseigner. Et vite! recommanda Kelly en levant des sourcils facétieux. Sinon, je te garantis que tu vas finir par t'en mordre les doigts.

5

Tristana fut réveillée par des bruits dans la cuisine. Elle se trouvait bien sous la couette, mais les bonnes odeurs de café et de bacon qui flottaient dans l'air ne manquaient pas de charme non plus. Elle roula sur le côté et se ramassa en chien de fusil.

Il était encore tôt.

Elle sourit car elle était heureuse. Cela faisait maintenant trois semaines qu'elle était avec Tybalt. Elle avait bien fait de suivre le conseil de Kelly – même si elle se posait encore beaucoup de questions.

Doucement, elle se mit sur le dos. Elle essaya de s'étirer, mais ses pieds se prirent dans les plis du drap. Le lit était dévasté, un vrai champ de bataille, les oreillers par terre, la couette en boule dans la housse. Son corps était un peu endolori aux endroits stratégiques. Elle rosit en pensant aux folies de la nuit. Ils avaient peu dormi. Malgré cela, elle se sentait en pleine forme et prête à affronter la journée.

À part cela, elle avait grand-faim.

Elle se dépêcha de se lever avant que Tybalt ne vienne la chercher : chaque fois qu'il faisait ça, ils mangeaient froid. Ou trop cuit. Ramassant au passage sa robe de chambre, elle courut dans la salle de bains.

Une petite douche acheva de la réveiller. Elle s'essuya, enfila sa robe de chambre et, pieds nus, se dirigea vers la cuisine.

Tybalt se présentait de dos, torse nu, pieds nus, en jean, les cheveux mouillés – il devait avoir pris sa douche dans la deuxième salle de bains, à l'autre bout de la maison, car elle n'avait pas entendu les bruits d'eau.

Immobile dans l'encadrement de la porte, elle resta un instant à l'admirer. Elle ne pouvait jamais contempler son dos sans que ses doigts la démangent. Cette peau bronzée sur ces magnifiques muscles appelait irrésistiblement les caresses.

L'ayant sentie derrière lui, il se retourna, une spatule à la main. Sans un mot, elle s'approcha. De sa main libre, il la prit par la taille et elle se mit sur la pointe des pieds pour l'embrasser. À la seconde où leurs bouches se joignirent, elle eut une sensation de chaleur dans le ventre. Avant Tybalt, elle n'avait jamais aimé faire l'amour le matin, mais il n'avait pas eu de mal à la faire changer d'avis.

Cédant à la tentation, elle lui caressa la poitrine. D'humeur espiègle, elle se pencha pour lui lécher un mamelon. Aussitôt, il poussa un grognement de satisfaction. En même temps, il jeta un coup d'œil par-dessus son épaule pour s'assurer que le beurre n'était pas en train de noircir au fond de la poêle.

— Chérie, murmura-t-il en l'embrassant sur le sommet du crâne, je propose qu'on fasse ça en deux temps : d'abord, on mange, ensuite, on fait l'amour.

Les joues de Tristana s'empourprèrent illico.

— Ça t'amuse de me mettre mal à l'aise, n'est-ce pas ? dit-elle.

Il sourit.

— C'est trop tentant... Tu es si jolie quand tu te troubles.

En le traitant de garnement, elle le repoussa doucement. Et puis, elle regarda dans la poêle.

— Qu'est-ce que tu prépares ?

— Une omelette.

Il avait du savoir-faire. Le bacon était posé sur du papier absorbant. Dans un bol, il y avait du fromage râpé, dans un autre, du poivre vert concassé. Dans un grand saladier, les œufs battus – vigoureusement, à en juger d'après la quantité de mousse. En attendant que l'omelette soit prête, elle mit la table et versa le café, et bientôt ils se retrouvèrent assis l'un en face de l'autre, en train de partager l'une des grandes joies de l'existence humaine : le petit déjeuner qui suit une nuit d'amour.

Ils étaient suffisamment à l'aise ensemble pour se permettre de manger en silence. Ce qui ne voulait pas dire qu'ils s'ignoraient. Leurs pieds nus se frôlaient sous la table, et les regards échangés étaient lourds de sens. Tristana commençait à penser que, lorsqu'il avait dit : « D'abord, on mange, ensuite, on fait l'amour », il ne plaisantait pas.

Bientôt, il ne resta plus rien dans les assiettes. Alors, Tybalt lui caressa tendrement la main, confirmant ses soupçons.

— Tu es obsédé, ma parole, dit-elle avec un sourire indulgent.

— Chérie, j'ai trois ans à rattraper.

Un peu gênée, Tristana replia avec soin sa serviette et la coinça sous son assiette pour se donner une contenance. Tout le problème était là : il avait de l'avance sur elle. Cette situation, cela faisait des années qu'il y pensait. Alors que, pour elle, tout était nouveau, inouï, déconcertant. C'est sans doute pour cela que, malgré le fait qu'ils soient devenus aussi intimes que deux amants peuvent l'être, elle n'avait toujours pas réussi à prononcer la formule magique, les trois mots fatidiques, qu'il n'avait eu aucune peine, lui, à proclamer dès la première nuit.

Tybalt se taisait. Écartant les jambes, il se mit à se balancer sur sa chaise. Malgré sa décontraction apparente, il était tendu. Elle aurait voulu pouvoir articuler : « Je t'aime » de façon claire et distincte, mais elle n'y arrivait pas. Elle devait lui rendre cette justice qu'il n'avait jamais cherché à lui forcer la main. Pas une seule fois.

Tout à coup, il se redressa et, d'un mouvement vif et fluide à la fois, il l'attrapa par la main et la tira vers lui. Avant d'avoir eu le temps de comprendre ce qui se passait, elle se retrouva assise à califourchon sur lui.

— Tybalt! s'exclama-t-elle.

Trop tard! Il avait déjà réussi à lui ouvrir sa robe de chambre et, profitant de l'effet de surprise, il prit un sein dans chaque main et commença à les caresser délicatement.

— À quelle heure faut-il que tu sois à ton travail? demanda-t-il.

— Bientôt.

Les caresses se transformèrent en pétrissage et Tristana frissonna.

— Tybalt, nous n'avons pas le temps.

Il lui mordilla le lobe de l'oreille.

— Estime-toi heureuse que je t'aie laissée prendre ton petit déjeuner *avant*.

Elle se rendit compte qu'il était en train d'ouvrir la braguette de son jean. De là, il n'eut qu'un geste à faire pour lui glisser sa main entre les jambes. Il introduisit un doigt en elle, le fit tourner, aller et venir, et, lorsqu'il jugea que le sillon était suffisamment humide et dilaté, il y fit pénétrer son sexe.

En même temps, il lui goba un mamelon et le téta goulûment.

— Je suis à mon compte, dit Tristana d'une voix suraiguë.

À chaque coup de boutoir, elle était soulevée comme une cavalière sur un cheval au galop.

— Et moi, répondit Tybalt, je suis contremaître. Nous avons bien le droit d'être un peu en retard, pour une fois.

— Et même *très* en retard, murmura-t-elle en lui enfonçant ses ongles dans les épaules.

Arrêté au carrefour, Tybalt attendait impatiemment que le feu passe au vert. Il était à la bourre. Ses gars allaient se payer sa tête.

Mais il ne regrettait rien. Ça en avait valu la peine.

En un sens.

Il malaxa les muscles de ses épaules. C'était plein de nœuds. Et ça allait de mal en pis.

Il poussa un soupir. Comment était-il possible d'être aussi heureux et aussi malheureux à la fois ?

Exaspéré, il donna un coup de poing dans le volant. En même temps, il appuya plusieurs fois de suite sur l'accélérateur. Le moteur rugit. Ça ne pouvait pas durer comme ça.

Les trois dernières semaines avec Tristana avaient été paradisiaques, sauf sur un point…

Elle ne partageait pas ses sentiments.

Il n'avait pas lieu de s'en étonner. Il l'avait su depuis le début. Ça ne l'avait pas empêché de foncer tête baissée. Bêtement, il s'était cru capable de la faire changer d'avis. Une fois résolu le problème de Denny…

Faire l'amour avec elle, c'était magnifique. Il aurait dû s'en contenter.

Mais il voulait davantage.

Le feu passa enfin au vert. Il écrasa l'accélérateur.

Le pick-up démarra en trombe.

Tristana s'affairait dans la cuisine, essayant de faire mille choses à la fois. Il y avait beaucoup de travail aujourd'hui. Un menu long comme le bras. Kelly et elle étaient chargées du buffet pour le départ en retraite d'un gérant de magasin de meubles. Les invités seraient nombreux et, apparemment, le client n'avait pas l'intention de les laisser mourir de faim. Les cakes salés refroidissaient, les plateaux de fromages et de viandes froides étaient prêts, les cakes sucrés achevaient sagement de cuire. Mais il fallait encore s'occuper des champignons farcis et des miniquiches, et cela prendrait du temps.

Kelly était au téléphone. Elle attendit d'avoir raccroché pour donner libre cours à son exaspération.

— Ajoute des petites saucisses de Francfort à la liste, dit-elle. Il paraît que le patron adore ça.

— Oh, bon sang ! s'exclama Tristana. C'est extravagant ! Pourquoi ne l'ont-ils pas dit plus tôt ?

Kelly agita son index.

— *Tss-tss*, tu connais le dicton : « Il ne faut jamais contrarier un amateur de saucisses de Francfort. »

Tristana, malgré sa fatigue et sa nervosité, ne put s'empêcher de rire.

— Ils ont de la chance que nous en ayons sous la main.

— C'est nous qui avons de la chance. Pour ce changement de dernière minute, je leur ai fait accepter un supplément qui met le cochon au prix du caviar.

— Eh bien, soit! Saucisses de Francfort, puisqu'ils y tiennent.

Le téléphone sonna de nouveau, et Kelly poussa un soupir démesuré. Elle s'apprêtait à décrocher mais, au même moment, le four fit *bip !*

— Sors tes cakes, dit Tristana en s'essuyant les mains. Je vais répondre.

— Cette fois-ci, s'ils réclament des crackers au fromage, tu leur dis non, recommanda Kelly. Et peu importe le prix qu'ils offrent.

Tristana se hâta de décrocher.

— Allô ?

— Tristana ?

— Oui, dit-elle en fronçant les sourcils.

La voix à l'autre bout du fil lui disait vaguement quelque chose.

— Tristana, c'est Frank. Je travaille avec Tybalt. Nous nous sommes vus au *Tourniquet* la semaine dernière.

— Ah, oui, Frank, je vois.

Elle coinça le téléphone entre sa joue et son épaule et se remit au travail.

— Que puis-je faire pour vous ?

— Je suis désolé de vous déranger mais il faut que je vous dise qu'il y a eu un petit accident.

Tristana se pétrifia.

— Un accident ?

— Non, ne vous affolez pas. C'est Tybalt... Il s'est seulement...

Aussitôt, les jambes de Tristana se mirent à flageoler.

— Tybalt ?

Tybalt avait eu un accident ? Elle était encore avec lui tout à l'heure. Ils avaient fait l'amour. Elle venait juste de le quitter.

— Que s'est-il passé ? demanda-t-elle, la gorge serrée.

— Holà, holà, dit Frank, j'ai dit de ne pas s'affoler.

Sentant qu'il se passait quelque chose, Kelly s'approcha de Tristana et lui posa la main sur l'épaule.

— Comment va-t-il ? demanda Tristana.

— Il va bien, s'empressa de répondre Frank. Je vous en donne ma parole.

— Qu'est-ce que ça peut bien vouloir dire ? lança-t-elle d'un ton sec.

Elle connaissait les hommes. Toujours à minimiser les choses. Un jour, à l'entraînement, Denny avait reçu une balle de base-ball dans le ventre. Plié en deux, il avait juré que ce n'était qu'un petit bobo de rien du tout. Le médecin de l'équipe avait soupçonné une hémorragie interne, diagnostic confirmé à son arrivée à l'hôpital. Denny avait été opéré en urgence. Autrement, avec son « petit bobo de rien du tout », il y serait passé.

— Il s'est tordu la cheville, dit Frank.

— Il s'est juste tordu la cheville ? répéta Tristana sans faire mystère de son incrédulité. Et c'est pour ça que vous m'appelez ?

— Oui. Parce qu'avec sa cheville tordue il ne peut pas conduire, expliqua Frank. C'est le pied de la pédale d'embrayage. Et il ne veut pas nous laisser le raccompagner chez lui.

— J'arrive !

Sans attendre de réponse, elle tendit le téléphone à Kelly.

— Tiens ! Appelle Susie pour qu'elle vienne t'aider.

Puis, elle attrapa son sac à main sous le comptoir et, après avoir pris la mesure du désordre qui régnait dans la cuisine, elle ajouta :

— Tant que tu y seras, appelle aussi Laura.

— Ne t'inquiète pas, répondit tranquillement Kelly en lui faisant signe de s'en aller. Je contrôle la situation.

Plutôt que de discuter, Tristana ôta son tablier et le jeta dans la direction du portemanteau. Sans prendre le temps de s'assurer qu'il s'était pris à un crochet, elle sortit en courant. Elle essaya de se calmer, le temps de mettre en place la clé de contact. Pourtant, lorsqu'elle démarra, les pneus crissèrent.

Elle avait les nerfs à fleur de peau. Que s'était-il vraiment passé ? Quoi que Frank en ait dit, Tybalt était-il gravement blessé ? Tout le monde sait que les chantiers de construction sont des endroits terriblement dangereux.

« Ô mon Dieu, mon Dieu ! » psalmodiait-elle.

Elle avait besoin de le voir. Elle avait besoin de le toucher. Elle avait besoin de s'assurer qu'il n'avait rien de grave.

La traversée de la ville ne se passait pas assez vite à son gré. En vérité, elle eut beaucoup de chance de ne pas se faire arrêter par la police. Enfin, elle atteignit le chantier. Il y avait beaucoup d'animation. Des gaillards luisants de sueur portaient des choses qui avaient l'air lourdes. D'énormes blocs de Dieu sait quoi se balançaient au bout des filins des grues. Ils construisaient un parking. D'après ce que Tybalt lui avait dit, le chantier – une fois n'est pas coutume – avait de l'avance.

Elle se gara n'importe comment, descendit de voiture et leva les yeux. Lorsqu'elle vit un homme faire le funambule sur une poutre à quinze ou vingt mètres au-dessus du sol, elle en fut malade.

— Ma'ame ? dit quelqu'un derrière elle. C'est interdit au public. Vous n'allez pas pouvoir rester là.

Se retournant, elle se trouva nez à nez avec un homme en salopette, avec un casque de chantier sur la tête.

— Je suis Tristana Christiansen, dit-elle, et je viens voir Tybalt.

Le bonhomme haussa les sourcils.

— Oh, alors, c'est par là, dit-il en montrant du doigt un baraquement qui devait servir de bureau.

Tristana partit « par là ». Lorsque les ouvriers l'eurent repérée, ce fut un concert de sifflets. Honnêtement, avec son débardeur rose et son short blanc, elle avait tout pour plaire.

Elle ne vit Tybalt nulle part mais finit par apercevoir Frank et se précipita à sa rencontre.

— Où est-il? demanda-t-elle sans préambule.

D'un geste du pouce, Frank lui désigna l'endroit où les ouvriers garaient leurs autos.

— Son pick-up est là au fond, dit-il. Méfiez-vous. Il n'est pas à prendre avec des pincettes.

De plus en plus inquiète, elle courut dans la direction indiquée. Elle avait le cœur battant et les mains moites. Elle savait qu'elle était folle de se faire autant de mauvais sang. Si c'était vraiment grave, Frank l'aurait fait conduire en vitesse à l'hôpital.

Soudain, elle s'arrêta net.

— Tybalt?

Il était assis sur le plateau à l'arrière de son pick-up, avec le hayon baissé. En entendant son nom, il tourna brusquement la tête.

— Tristana?

Elle fut tellement soulagée de le voir que ses jambes mollirent et qu'elle dut s'appuyer sur la voiture la plus proche pour ne pas tomber. Tybalt avait l'air d'aller – en tout cas, vu d'ici. D'une démarche un peu chancelante, elle alla vers lui. Dès qu'elle fut assez près, il la prit par la main.

— Qu'est-ce que tu viens faire ici?

— C'est Frank qui m'a appelée.

Le visage de Tybalt s'assombrit.

— De quoi se mêle-t-il?

Il tourna la tête dans toutes les directions, comme s'il cherchait des yeux son chef d'équipe pour lui passer un savon.

— Tu n'étais pas obligée de venir, reprit-il. Je sais que c'est une grosse journée pour toi.

— Chut!

La mine soucieuse, elle le regarda de pied en cap. Difficile de croire que cet apollon puisse être blessé quelque part.

— Tu vas bien, tu es sûr?

Lorsqu'il vit qu'elle était au bord des larmes, il s'adoucit.

— Mais oui, je vais très bien, dit-il en lui pressant tendrement la main. Juste un peu secoué.

Son pied gauche était déchaussé. Sa cheville enflée commençait à prendre des colorations jaunâtres et violacées qui n'étaient pas de bon aloi. Incapable de se retenir, elle le palpa de haut en bas, à la recherche d'autres blessures.

— Une cheville tordue, c'est tout ce qu'il y a, dit-il avec un sourire en demi-teinte.

Tristana posa sa tête contre la poitrine de Tybalt. Les battements de son cœur, lents, réguliers et robustes, avaient quelque chose de rassurant. Bouleversée, elle prit une profonde inspiration. Quel ne fut pas son embarras lorsqu'elle se rendit compte qu'elle pleurait.

Tybalt pâlit.

— Non ! s'exclama-t-il en la prenant par les épaules. Ne fais pas ça.

Elle ravala sa salive.

— Pardon, c'est plus fort que moi.

Pour un grand gaillard comme lui, il avait l'air tourneboulé par la vue de quelques larmes.

— Je t'assure que je vais bien, murmura-t-il en lui essuyant les joues d'une main tremblante.

— Qu'est-ce qui s'est passé ? demanda-t-elle.

Il fit la moue comme si la question l'embarrassait.

— En arrivant ici ce matin, je n'avais pas toute ma tête. J'ai mis le pied sur un bout de ferraille qui traînait et je me suis tordu la cheville. Bon sang, ce n'est même pas une foulure digne de ce nom ! Demain matin, il n'y paraîtra plus.

Tristana se rendit compte qu'elle était de nouveau au bord des larmes. Elle ferma les yeux. Il n'y avait pas lieu de réagir comme ça. Mais elle avait beau le savoir, elle n'y pouvait rien.

Elle avait eu tellement peur pour lui !

— Je t'en prie, chérie, ne pleure pas, tu n'imagines pas à quel point ça me fait de la peine, dit-il en lui passant la main dans les cheveux.

Sa voix était peut-être bourrue mais sa caresse était tendre.

— Partons d'ici, dit Tristana en se raffermissant.

Il regarda vers le chantier.

— Je ne peux pas m'en aller. Il va falloir que...

— Frank n'a pas besoin d'un éclopé dans ses jambes, dit-elle d'un ton ferme.

Elle renifla une dernière petite fois et s'essuya les yeux.

— Allez, viens, reprit-elle en lui tendant la main. Je te conduis à la maison. Je vais bien prendre soin de toi, tu vas voir...

Tristana fit signe à Tybalt de s'appuyer sur elle au moment d'entrer dans la maison. Il était trop macho pour admettre que sa cheville lui faisait vraiment mal, mais il se laissait quand même aider.

— Non! dit-elle pour l'empêcher de s'asseoir sur une chaise de la cuisine. Par ici.

D'un air décidé, elle le prit par la main et ajouta :

— Au lit.

Dans un moment de faiblesse, elle appuya sa joue contre sa poitrine. Lorsqu'elle avait appris qu'il était blessé, son univers s'était retrouvé sens dessus dessous. Elle n'avait pas encore rétabli son équilibre.

Il lui caressa les cheveux.

— Ce n'est pas si grave que ça, dit-il en lui plantant un baiser sur le sommet de la tête. Installe-moi sur la chaise longue dans le salon.

Mais Tristana n'était pas d'humeur à s'en laisser conter.

— J'ai dit : au lit !

Il commença par résister. Puis, soudain, il comprit et son regard se troubla. Docilement, il se laissa entraîner dans le couloir.

— Non, pas par ici, dit Tristana en voyant qu'il partait vers la chambre d'amis.

Et elle continua d'avancer. Il eut un temps d'hésitation lorsqu'il se rendit compte qu'elle l'emmenait vers sa chambre à elle.

— Tu es sûre ? bougonna-t-il.

— Sûre et certaine, répondit Tristana.

Aujourd'hui, les écailles lui étaient tombées des yeux. Elle s'était rendu compte que jusqu'ici elle avait été très injuste envers lui. Il était toujours passé après Denny dans l'estime de ses parents. Il lui avait avoué un jour qu'il savait ce que c'était que de compter pour du beurre.

Eh bien, avec elle, il ne comptait pas pour du beurre. Il ne passait après personne. Et elle allait lui en faire la démonstration.

— C'est la chambre que tu as partagée avec Denny, dit-il, hésitant à entrer.

Elle se retourna lentement vers lui.

— C'est toi, mon amant.

Les deux hommes ne se comparaient pas. Et puis, après le divorce, elle avait effacé toute trace de Denny dans la chambre. Les lourdes tentures havane avaient été remplacées par du papier bleu ciel. Elle avait changé certains meubles. Dans les vitrines, il n'y avait plus ni coupes ni trophées mais des flacons de parfum et des bibelots en pâte de verre. Dans le réveille-matin, le rap avait cédé la place à du *easy listening*. C'était sa chambre, à présent.

Et elle avait envie de la partager avec Tybalt.

Elle le prit par la main et l'attira à l'intérieur. Il avait les traits creusés. Par la douleur ou l'inquiétude, elle n'aurait su le dire. D'une main douce et légère, elle lui caressa le front, comme si elle espérait en effacer les rides.

— Si tu étais distrait, ce matin, je t'en demande pardon. Je sais que c'était ma faute…

Il sourit avec malice.

— J'avoue que tu avais bien travaillé dans la cuisine.

Elle refusa d'entrer dans son jeu.

— Ce n'est pas à cause de ça que tu avais la tête ailleurs.

Cédant à une impulsion, elle l'embrassa. Ils vacillèrent tous les deux. Dans l'état de Tybalt, ce n'était pas une bonne chose. Elle battit en retraite dès qu'il poussa un grognement de douleur.

Mais il rattrapa aussitôt.

— Reviens ici, toi. Ce n'est rien.

— Non, ce n'est pas rien.

Tout en le regardant dans les yeux, elle lui palpa l'entrecuisse.

— Il va falloir te retirer ton jean, murmura-t-elle.

Le visage de Tybalt s'allongea.

— Tristana, dit-il, je ne sais pas si je vais pouvoir faire grand-chose.

Elle lui sourit d'un air enjôleur.

— Ne t'en fais pas. Je me charge de tout.

Se penchant, elle l'embrassa sur la poitrine. Il tressaillit et s'agrippa à la commode toute proche. Enhardie, elle lui déboutonna son jean. Elle avait envie de lui. Bouleversée par l'importance du moment, elle s'y prenait mal. Ses doigts tremblaient. Malgré tout, elle réussit à lui ouvrir sa braguette sans s'énerver.

Lorsqu'il se retrouva avec son jean à mi-cuisses, il alla à cloche-pied s'asseoir sur le lit. Elle le suivit, s'accroupit devant lui et acheva de le déshabiller. Lorsqu'elle releva les yeux, elle se retrouva en face d'un superbe sexe d'homme en érection.

Sans réfléchir, elle l'embrassa sur le bout du gland.

— Ô mon Dieu, Tristana ! s'écria-t-il.

Il l'empoigna par les épaules – peut-être pour l'inciter à continuer, peut-être pour la forcer à se redresser. Peu importe, elle savait ce qu'elle voulait. Elle le prit dans sa main, plus gros et plus dur que jamais, et commença à aller et venir le long de la hampe tout en suçotant la pointe du gland. Il sursauta littéralement.

Avant que la situation ne leur échappe tout à fait, elle releva la tête et le regarda sans ciller.

— Pas d'amusettes, dit-il d'un ton sévère. Je ne suis pas d'humeur.

— Moi non plus, dit-elle pour le rassurer.

Elle ôta son débardeur et le jeta au loin. Tybalt hoqueta de surprise.

— Tu es venue sur le chantier sans soutien-gorge ? s'exclama-t-il.

— Cas de force majeure, répondit-elle.

Ses mamelons durcis la picotaient. Elle était déjà toute mouillée.

Quand elle ôta son short, il tendit les bras vers elle mais elle refusa son aide.

— Tu es blessé. Couche-toi. Je m'occupe du reste.

Il serra les dents.

— Tu cherches à me rendre fou.

— Je t'en prie, fais ce que je te dis.

En grommelant, il s'installa sur le lit. Toute nue, elle le rejoignit. Elle avait le trac, mais ce n'était pas une raison pour renoncer. Elle lui avait fait beaucoup de peine en restant vague sur ses sentiments et elle se sentait coupable. Alors, elle voulait lui faire tout le bien possible pour se rattraper.

À genoux près de lui, elle se pencha et, poussée par la curiosité, glissa une main vers ses testicules. Il ferma les yeux et poussa un cri sourd. Se pourléchant d'avance, elle admira le phallus dressé vers elle. Et elle comprit pourquoi elle avait ce sentiment de plénitude quand il était en elle : il était si épais, si long…

Un éclair de désir lui traversa les entrailles.

En ronronnant, elle se pencha en avant et lécha le bulbe dilaté. Il était dur et doux à la fois. Elle aima ce contact contre sa langue. Entrouvrant les lèvres, elle téta la pointe, le grignota un peu. Puis elle essaya de le prendre tout entier dans sa bouche mais il était trop gros. Tybalt marmonnait des paroles indistinctes tandis qu'elle lui massait le gland avec ses lèvres et sa langue. La température avait tellement monté dans la pièce que le conditionneur d'air ne réussissait plus à rafraîchir l'atmosphère. Quelque part, dehors, une tondeuse à gazon se mit à vrombir. En songeant à ce qu'ils étaient en train de faire pendant que les voisins vaquaient à leurs occupations ordinaires, Tristana s'excita doublement.

— Ah, c'est bon, c'est bon ! s'exclama Tybalt d'une voix haletante.

Tristana releva brusquement la tête lorsqu'il la prit par les hanches et la souleva.

— Oh ! s'exclama-t-elle, sidérée.

Il était d'une force extraordinaire. Sans effort apparent, il l'installa au-dessus de lui, tête-bêche, de façon que le sexe de l'un se retrouve en face de la bouche de l'autre.

Elle avait beau savoir à quoi s'attendre, elle projeta la tête en arrière et poussa un cri d'extase lorsqu'il lui donna le premier baiser sur son sexe.

D'une langue vive et puissante, il commença l'exploration de ses replis intimes. Tristana se mit à trembler. La grande main de Tybalt s'abattit sur sa nuque. Elle comprit le message et le prit de nouveau dans sa bouche.

Bientôt, les corps se mirent à tanguer sur les vagues du plaisir. Tristana avait du mal à se concentrer mais elle continua de le suçoter et de le lécher tandis qu'il faisait de même. Il la tenait solidement par la taille. Heureusement, car elle aurait peut-être bondi lorsqu'il lui titilla le clitoris avec le bout de la langue avant de l'aspirer entre ses lèvres.

Lorsqu'il fut sur le point de jouir, Tristana sentit le gland gonfler démesurément dans sa bouche. Elle passa le bout d'un doigt sur la grosse veine qui courait le long de la hampe et suça vigoureusement et trembla de bonheur lorsqu'il éjacula, buvant jusqu'à la dernière goutte l'épais liquide auquel elle trouva une saveur indéfinissable mais plaisante.

Cependant Tybalt la léchait implacablement sur toute la surface de ses parties secrètes et il ne cessa que lorsqu'elle s'assit de tout son poids sur sa bouche après s'être beaucoup contorsionnée et avoir poussé plus d'un cri d'extase.

Essoufflés, rompus, ils roulèrent sur le côté. Tristana était émue aux larmes. Tybalt se coucha dans le même sens qu'elle et la prit dans ses bras. Elle se pelotonna contre lui. Leurs deux cœurs battaient la chamade.

Au bout d'un long moment, elle osa relever les yeux. Tybalt n'avait pas l'air d'un amant rassasié. Au contraire, il avait la mine farouche.

— Pourquoi ? demanda-t-il en la serrant dans une étreinte d'ours.

— Pourquoi quoi ?

Il laissa tomber sur elle un regard brûlant.

— Pourquoi es-tu aussi inquiète ? Pourquoi pleures-tu ? Pourquoi ce lit ?

Il avait l'air d'espérer quelque chose. Soudain, elle comprit quoi.

— Parce que je t'aime, gros nigaud.

Il tiqua, comme s'il s'était attendu à autre chose. Elle ne pouvait pas lui en vouloir. Ce matin encore, elle avait été incapable de lui dire ce qu'il avait tant eu besoin d'entendre.

Elle fit pleuvoir sur sa poitrine une averse de petits baisers.

— Je me suis conduite comme une sotte, dit-elle. Moitié par peur, moitié par égoïsme. J'ai cru me protéger en n'écoutant pas mes sentiments, je n'ai réussi qu'à nous faire du mal à tous les deux.

Elle se redressa sur ses coudes.

— Je t'aime aussi, Tybalt, dit-elle en le regardant droit dans les yeux.

Il poussa un profond soupir de soulagement. Dans un sourire qui contenait toute la tendresse du monde, elle répéta :

— Je t'aime, aussi !

LYNN LAFLEUR

Femme trompée

1

Karessa Austin sourit à son assistante, qui venait d'apparaître dans l'encadrement de la porte de son bureau.

— Où en es-tu, Joy?

— Tout est déballé, on n'attend plus que ton inspection.

Karessa était fébrile. À chaque nouvelle exposition, elle avait la chair de poule. C'était meilleur qu'un homme.

Enfin, meilleur que les hommes qu'elle avait essayés ces temps derniers.

Elle sortit de son bureau et suivit Joy. Lorsqu'elle arpentait les couloirs du musée Gage-Austin, elle se sentait proche de ses parents. Ils étaient morts neuf ans plus tôt, alors qu'elle venait d'avoir vingt ans. Ils avaient fondé ce magnifique musée, en plein centre de Fort Worth.

— As-tu décidé de ce que tu vas faire de la maison? demanda Joy.

Karessa hocha la tête.

— Non. Il va falloir que j'y réfléchisse. Je me demande pourquoi ma tante Grace m'a légué cette bicoque.

— Tu m'as dit qu'elle ne s'était jamais mariée, qu'elle n'avait pas d'enfant et que tu étais sa seule famille.

— Je sais, mais qu'est-ce que tu veux que je fasse d'une vieille maison? Je dirige un musée mais ça ne m'empêche pas d'aimer le confort moderne. Mon appartement me convient très bien.

Karessa poussa la lourde porte en fer qui donnait sur l'arrière-salle du musée. C'était là que les paquets étaient livrés et ouverts. C'était là qu'elle examinait les pièces et qu'elle décidait de ce qu'il convenait d'en faire.

Elle adorait son métier.

Son chef magasinier, Marco, la regarda en souriant.

— Ces tableaux-là vont vous plaire, patronne.

Karessa lui rendit son sourire. Marco avait vingt-cinq ans, le teint mat, les yeux et les cheveux noirs et il était bâti comme Conan le Barbare. S'il n'avait pas travaillé pour elle, il lui aurait bien plu.

« Je pourrais le mettre à la porte le vendredi, nous passerions le week-end à faire l'amour comme des bêtes et je l'embaucherais de nouveau le lundi matin. Avec des muscles pareils, il doit être incroyable au lit. »

Karessa poussa un soupir. Son corps n'aurait pas demandé mieux. Par malheur, sa conscience ne lui permettrait jamais de profiter d'un de ses employés.

Elle se força à s'intéresser aux caisses posées sur le sol. Les hommes étaient en train d'en sortir les tableaux de Thomas Abernathy. Son cœur se mit à battre à la vue des charmants paysages de la campagne anglaise : des collines verdoyantes constellées de cottages au toit de chaume et aux murs blancs, des ciels clairs dans lesquels étaient accrochés çà et là quelques nuages laineux, des fleurs chatoyantes – tout cela se combinait pour créer les chefs-d'œuvre qui avaient fait la réputation d'Abernathy.

Il y en avait sept en tout, donnés au musée par l'arrière-petite-fille d'Abernathy. Tous les musées au monde auraient été heureux d'exposer les peintures de son arrière-grand-père. Mais elle avait choisi le musée Gage-Austin, un fait dont Karessa n'était pas peu fière.

— Voici la lettre que miss Abernathy a jointe aux tableaux, dit Joy en ouvrant le porte-documents dont elle ne se séparait jamais. Elle dit qu'elle aurait donné la série complète, les huit... mais, hélas, l'un d'entre eux a été acheté par un collectionneur privé pour, je cite, « une somme positivement obscène ».

— Je veux bien le croire.

Karessa se planta devant le tableau intitulé *Impressions du crépuscule* et l'admira. Elle aurait adoré l'accrocher dans son salon. Dommage qu'elle ne puisse pas le glisser dans son sac et l'emporter chez elle, ni vu ni connu !

— Mentionne-t-elle le nom du collectionneur en question ? reprit-elle. Nous pourrions peut-être nous arranger avec lui pour qu'il nous le prête pendant quelque temps.

— Oui. Il s'appelle Maxwell Hennessey.

Karessa frissonna de dégoût en entendant ce nom. Maxwell Hennessey était l'homme le plus abject qu'elle ait jamais connu. L'idée de le revoir un jour l'horripilait.

— Tu veux que j'essaie de le contacter ? demanda Joy.

— Non, répondit Karessa.

Se rendant compte qu'elle avait parlé sèchement, elle toussota pour s'éclaircir la voix et sourit.

— Non, c'est bien comme ça, reprit-elle sur un ton radouci. Avec sept toiles, nous avons déjà une magnifique exposition.

— Tu es sûre ? Parce que je peux joindre miss Abernathy pour lui demander si elle connaît les coordonnées du...

— Ça ne sera pas nécessaire, Joy, merci.

Joy la regarda d'un air sidéré. Normalement, elle aurait sauté sur l'occasion d'exposer la série complète des fameux *Paysages près de Brighton* de 1879, qui avaient permis à Abernathy de passer, pendant un certain temps, pour le « Monet américain ». Mais elle aurait préféré manger un boisseau de vers de terre que d'avoir affaire avec Maxwell Hennessey.

C'était un nom assez répandu, pourtant Karessa était persuadée que le Maxwell Hennessey, propriétaire du huitième tableau, n'était autre que le Maxwell Hennessey qu'elle avait connu cinq ans plus tôt. Maxwell était collectionneur. Il aimait les belles choses – y compris les jolies jeunes filles un peu trop promptes à tomber amoureuses.

— Joy, tu veux bien t'occuper de ça ? J'aimerais partir un peu plus tôt ce soir pour aller voir la maison de ma tante.

— Oui, bien sûr. L'exposition d'antiquités égyptiennes finit vendredi. Tu veux que je mette les Abernathy à la place ?

— Excellente idée. Mais il faudra changer les fleurs… Trouve quelque chose avec une ambiance jardin anglais.

— Je m'en occupe.

Karessa avait confiance en son assistante. Elle quitta la pièce l'esprit tranquille et retourna dans son bureau. Elle commença à rassembler ses affaires car elle avait l'intention de rentrer chez elle après avoir vu la maison de sa tante. Il allait falloir qu'elle contacte un agent immobilier pour vendre la bicoque et le bout de terrain le plus tôt possible.

La mort de tante Grace, un mois plus tôt, lui avait causé un choc. Karessa en avait gardé le souvenir d'une femme vive, éclatante de santé – le genre de personnes dont on imagine qu'elles vivront éternellement. Maintenant, après la mort de sa tante, Karessa n'avait plus de famille. Elle se retrouvait seule au monde.

Mais elle n'allait pas s'apitoyer sur son propre sort. Ce n'était pas son genre.

Les épaules en arrière comme un brave petit soldat, elle prit sa serviette et son sac à main et sortit.

Maxwell Hennessey referma son exemplaire du *Washington Post,* le plia soigneusement et le posa près de son assiette. Il n'y avait rien dans le journal. Ce qui voulait dire que son contact n'avait pas menti lorsqu'il avait dit qu'il n'y avait pas eu de fuite.

Enfin, pas encore.

Les rumeurs de trésors cachés éveillent forcément l'intérêt de gens en quête d'argent facile. Le plus souvent, les rumeurs de trésors cachés sont vite oubliées. Ce serait trop facile si l'on pouvait devenir riche sans effort.

Maxwell était devenu multimillionnaire en se fiant aux rumeurs.

Il avait du temps devant lui. Il avait réglé ses affaires, ici, à Washington, et il se préparait à partir pour Houston. Une fois au Texas, son contact lui dirait précisément où était caché le titre au porteur.

Tant qu'il ne s'approchait pas de Fort Worth, tout allait bien. Il ne voulait surtout pas risquer de rencontrer Karessa.

Il ne pouvait pas repenser à elle sans un pincement de cœur. Il lui avait menti et il l'avait laissée tomber, car il avait été incapable de résister à l'appât du gain.

Avec tout son argent, il n'était pas moins seul.

Il prit sa tasse et but une gorgée de café. Il s'était souvent demandé à quoi ressemblerait sa vie aujourd'hui s'il était resté avec elle.

Il y en avait eu d'autres depuis Karessa. Il était un bel homme de quarante ans qui aimait les femmes, et les femmes le lui rendaient bien. Il n'avait jamais eu de mal à trouver quelqu'un pour partager son lit.

Trouver quelqu'un à aimer, c'était une autre paire de manches.

— Voulez-vous que je réchauffe votre café, monsieur Hennessey ?

Maxwell leva les yeux vers la serveuse, une jolie brunette qui avait été aux petits soins pour lui depuis trois jours qu'il était dans cet hôtel. Il avait l'impression qu'il n'y aurait pas besoin de la pousser beaucoup pour qu'elle se propose de lui réchauffer son lit, en plus de son café.

En souriant, il lui tendit sa tasse.

— C'est vrai qu'il est tiède. Merci.

— Je vous en prie… Y a-t-il encore quelque chose que je puisse faire pour vous ?

« C'est le moment ou jamais », se dit-il.

— En fait, oui. Je vais quitter la ville dans quelques jours. Je n'ai pas eu l'occasion de la visiter. J'ai été absorbé par mes affaires et je n'ai pas eu le temps de jouer les touristes, voyez-vous ?

— Ce serait dommage de quitter Washington sans avoir rien vu. Ce ne sont pas les beaux monuments qui manquent…

— Je suis tout à fait de cet avis.

Il lut le prénom de la jeune fille sur la plaque agrafée à son chemisier.

— Leslie, est-ce que vous aimeriez me servir de guide, cet après-midi, après votre service… et peut-être dîner avec moi ensuite ?

Elle sourit.

— J'adorerais.

2

Karessa eut le coup de foudre pour la maison.

Entourée de chênes centenaires, la robuste bâtisse lui fit penser à des temps révolus – des temps où les gens n'étaient pas toujours pressés, où il n'y avait pas tant de stress dans leur vie et sans cesse des choses urgentes à faire. Elle lui évoqua l'amour, la vie de famille, le bonheur conjugal…

Karessa admira la colonnade qui supportait le second étage, la véranda, les grandes fenêtres. Tante Grace n'avait jamais éprouvé le besoin de prendre soin de sa maison car elle n'y était presque jamais. Elle voyageait beaucoup. L'œil exercé de Karessa repéra ici ou là des signes de décrépitude. Rénovée, la maison serait magnifique.

Grâce à l'héritage de ses parents, elle avait largement les moyens de la restaurer.

Elle pourrait même y habiter pendant les travaux. La maison avait quatre ou cinq chambres, peut-être six. Elle aurait beaucoup de place pour…

Karessa poussa un profond soupir. Où avait-elle la tête ? Elle ne pouvait pas s'installer là !

Aussitôt après, elle se dit : « Et pourquoi pas ? » Ses aïeux avaient vécu ici. Elle savait de source sûre que ses grands-parents – les parents de tante Grace – avaient vécu ici. Et la tradition familiale remontait peut-être beaucoup plus loin que ça.

Avant de vendre cet endroit chargé de souvenirs, il allait falloir qu'elle réfléchisse.

Karessa monta les marches du perron. D'une main qui tremblait un peu, elle ouvrit la porte.

Maxwell posa son sac sur le lit. Ouvrant l'une des poches latérales, il en sortit la grande enveloppe blanche que Frankie lui avait donnée à l'aéroport. Frankie lui avait offert de venir habiter chez lui pendant quelques jours mais il avait préféré louer une chambre d'hôtel. Il tenait à être seul au moment d'ouvrir l'enveloppe.

Son ami était un drôle de type. Frankie aimait chercher des renseignements sur des trésors cachés. Il allait sur Internet, fouillait dans les vieux journaux ou dans les archives des tribunaux. C'était ça qui l'excitait, la collecte d'informations. Mettre la main sur le trésor ne l'intéressait pas. Chose que Maxwell n'avait jamais été capable de comprendre. Frankie avait de l'argent, mais il aurait pu en avoir davantage s'il avait déterré lui-même les richesses qu'il faisait déterrer par d'autres. Il se contentait d'empocher des gratifications.

Maxwell se ferait une joie de verser à Frankie les vingt pour cent qu'il demandait en tant que « prime à l'inventeur » si le contenu de cette enveloppe conduisait à un titre au porteur qui valait, paraît-il, des mille et des cent.

Maxwell décacheta l'enveloppe et hésita à l'ouvrir. Avant de regarder à l'intérieur, il allait prendre une douche et boire un verre.

Mieux valait attendre pour savourer pleinement la bonne nouvelle. Il n'en aurait que plus de plaisir.

Le vol depuis Washington avait été pénible, à cause de violents orages. Maxwell se sentait nauséeux après avoir été tellement secoué. Planté sous l'averse brûlante, il se dit qu'il n'y avait rien de meilleur qu'une douche, sauf peut-être un massage, suivi d'un câlin avec une belle fille.

Il baissa la tête pour que l'eau lui fouette la nuque. Leslie avait été belle et câline à souhait. Il avait pris du plaisir avec elle, même en ayant le cœur et l'esprit ailleurs. Son esprit avait été tourné vers le Texas et l'enveloppe qui l'attendait là-bas. Quant à son cœur…

Son cœur appartenait toujours à Karessa.

Les femmes avaient défilé dans sa vie depuis cinq ans. À chaque nouvelle venue, il espérait un miracle – le petit frémissement du cœur qui conduirait à l'amour. Ça n'était jamais arrivé. Aucune n'avait réussi à lui faire oublier Karessa. Il avait souvent pensé à l'appeler, pour voir si elle était prête à lui donner une seconde chance. Il avait quelquefois été jusqu'à composer son numéro. Mais il avait toujours raccroché avant que ça ne sonne à l'autre bout du fil. Après ce qu'il avait fait, comment aurait-elle pu lui pardonner ?

Maxwell ferma les robinets et poussa la porte en verre dépoli. Après s'être grossièrement essuyé, il noua l'immense serviette de bain autour de sa taille et retourna dans la chambre. Après un rapide inventaire du réfrigérateur et du minibar, il mit la main sur une canette de Coca-Cola et une mignonnette de bourbon. Il aurait préféré du scotch mais ce n'était pas le moment de faire des chichis.

Après avoir préparé son cocktail, il s'installa sur le lit, adossé aux oreillers, et tendit la main vers l'enveloppe.

Immédiatement, il eut une érection. C'était toujours comme ça. Un ami psy à qui il s'en était ouvert lui avait répondu d'un ton grave : « Ça a un nom en médecine, l'attirance sexuelle pour les richesses : la timophilie. » Soit, *timophile* ou pas, l'idée d'un nouveau trésor le faisait bander.

Il ouvrit l'enveloppe et en renversa le contenu sur le lit. On pouvait dire ce qu'on voulait de Frankie, il était consciencieux. Il joignait toujours les notes qu'il avait prises pendant ses recherches, afin que Maxwell puisse vérifier son travail. Après des années de coopération, Maxwell avait suffisamment confiance en Frankie pour ne pas tenir compte de ses griffonnages. Tout ce qui l'intéressait, c'était la synthèse.

Il fouilla dans la liasse de paperasses jusqu'à ce qu'il trouve la feuille de papier bleu, proprement dactylographiée : la marque de fabrique de Frankie.

Tout en triturant son épaisse moustache, il lut. Charles et Belinda Blackburn étaient arrivés d'Angleterre en 1898. Déjà riche au départ, Charles avait bâti une immense fortune grâce à des investissements heureux. Parmi ces investissements figuraient des titres au porteur d'une petite compagnie de chemin de fer. Au fil des années, cette compagnie avait été absorbée par une plus grande, qui avait été achetée à son tour par une compagnie aux dimensions nationales, laquelle avait été à son tour rachetée par Tharwood Energy.

— Bon Dieu! marmonna Maxwell.

Tharwood Energy était le premier producteur d'électricité des États-Unis. Si l'un de ces titres existait encore, il valait une fortune, à en croire Frankie.

Le sexe de Maxwell s'agita sous la serviette.

Continuant sa lecture, Maxwell chercha l'endroit où les Blackburns avaient vécu. Il s'agissait d'un petit bourg en dehors de…

… Fort Worth!

— Zut!

Il y avait des milliers de communes au Texas. Pourquoi fallait-il que ce soit justement celle où habitait Karessa?

Maxwell releva la lourde mèche de cheveux humides qui lui pendait devant les yeux. Peu importe! Il pouvait se faufiler dans Fort Worth, trouver le titre et repartir aussitôt. À moins d'une poisse invraisemblable, il ne risquait pas de la rencontrer.

Il se remit à lire. La maison que les Blackburns avaient fait construire – la maison dans laquelle Frankie pensait que le titre se trouvait – existait toujours. La propriétaire était récemment décédée et l'avait léguée à sa nièce, une certaine…

… Karessa Austin.

— Ah! C'est pas vrai!

Maxwell froissa la feuille et la jeta à travers la pièce. La boule de papier rebondit sur le mur et tomba sans bruit sur la moquette. La chose qu'il désirait se trouvait précisément dans la maison de Karessa. Cela signifiait qu'il ne mettrait jamais la main dessus.

Il regarda pendant un moment la feuille de papier chiffonnée. Finalement, il se décida à se lever pour aller la récupérer. Il la lissa et puis la relut. La dernière ligne attira son attention. Le bond était estimé à… \$176KM.

Cent soixante-seize millions de dollars !

Maxwell poussa un grognement.

Il ne pouvait décemment pas tourner le dos à une pareille somme. Il y avait sûrement un moyen d'entrer dans la maison, trouver le titre et filer avant que Karessa ne se soit aperçue de sa présence.

Ouais, quand les poules auront des dents !

Il lui fallait un plan. Maxwell commença à faire les cent pas en réfléchissant. Pour commencer, prendre le premier avion pour Dallas. Une fois là-bas, louer une voiture. Ensuite, il n'avait pas la moindre idée de ce qu'il allait faire mais il espérait trouver quelque chose pendant le voyage.

Maxwell se recoucha, mit les mains derrière la tête et regarda le plafond. Il allait revoir Karessa, pas moyen de l'éviter. À cette pensée, son cœur se mit à battre plus vite. Une épaisse chevelure aux mille nuances. De grands yeux verts. Une silhouette impeccable. Des seins hauts perchés. Une taille fine. Des fesses rebondies. De longues jambes bien galbées.

Maxwell émit un son qui ressemblait à un ronronnement. Sa verge se ranima – et, cette fois, ça n'avait rien à voir avec ses penchants *timophiles*.

— Ça va coûter cher, miss Austin.

— Peu importe. Je ne dis pas que l'argent n'est pas un problème, mais je ne rechigne pas à le dépenser. Je veux que la maison soit parfaite.

Le maçon tapota sur le clavier de sa calculette. C'était Marco qui avait recommandé Grayson Construction, assurant que Kevin Grayson était un excellent ouvrier et qu'il n'était pas du genre à faire ses devis à la louche. La recommandation de Marco lui suffisait.

Par ailleurs, Kevin était un très bel homme.

Karessa soupira. C'était plus fort qu'elle. Il y avait longtemps qu'elle n'avait pas fait l'amour. Maxwell Hennessey l'avait rendu exigeante. Il avait été un amant incroyable. Il l'avait emmenée au septième ciel, comme personne avant lui. Elle avait eu des amants après Maxwell, mais aucun n'avait réussi à la combler.

Kevin paraissait avoir à une quarantaine d'années. L'âge idéal. Il y avait peut-être moyen d'arriver à quelque chose avec lui... Un coup d'œil l'annulaire gauche du séduisant personnage, où brillait une alliance, suffit à la faire changer d'avis.

« On a bien le droit de rêver », se dit-elle.

Kevin griffonna deux ou trois choses et arracha la page de son bloc-notes.

— Voici mon estimation, miss Austin. Vous feriez bien de contacter deux ou trois autres entreprises pour comparer.

« Beau *et* honnête, pensa-t-elle. Décidément, tous les hommes bien sont déjà pris ! »

Karessa accepta le morceau de papier.

— C'est Marco qui vous a recommandé. Je n'en demande pas davantage. Quand pouvez-vous commencer ?

— J'ai une équipe qui termine un chantier cette semaine. Ils pourront commencer lundi prochain à la première heure.

— C'est parfait.

3

Maxwell rangea sa voiture sous un chêne à une trentaine de mètres de la maison. De nombreux véhicules étaient garés n'importe comment dans le parc de la propriété. Un de plus ou de moins, ça devrait passer inaperçu. Il vit la fourgonnette d'un installateur d'antennes satellite et celle d'un plombier. Sur la benne d'un camion bleu, il y avait des vitres de toute taille. Apparemment, Karessa avait décidé de faire refaire la maison.

Formidable! Avec des allées et venues incessantes, il n'aurait pas un moment de tranquillité pour chercher le titre!

Un pick-up gris, sur les flancs duquel on pouvait lire « Grayson Construction », était garé tout près de la maison. Kevin se souvint d'être allé au lycée avec un dénommé Grayson. Ils avaient même joué dans la même équipe de football. Quel était son prénom, déjà? Keith? Kester? Kenny?… Ah, oui, Kevin! Kevin Grayson. Il observa le type en conversation avec Karessa sur le perron. L'âge correspondait. La taille et la corpulence aussi, pour peu que Grayson ait cherché à garder la forme.

Maxwell ricana. Grayson était un nom assez répandu. Qui plus est, il avait été au collège avec Kevin en Floride. Rencontrer un ancien copain d'école au Texas était peu probable.

Difficile pourtant d'être catégorique car le bonhomme se présentait de dos.

En revanche, Maxwell avait une vue imprenable sur Karessa. Elle portait un jean délavé et un simple tee-shirt blanc. Apparemment, elle avait un peu grossi depuis cinq ans. Avec ses quelques kilos supplémentaires, elle n'en était que plus sexy. Les seins étaient plus pleins, les hanches plus rondes.

Maxwell tira sur sa moustache. Il se sentait coupable. Le titre au porteur n'avait pas été légué à Karessa mais il était peut-être chez elle. L'idée de voler quelque chose à Karessa ne lui plaisait pas.

Il ne pouvait pas se permettre d'avoir des scrupules. C'était son boulot. Un boulot à plus de cent millions de dollars, par-dessus le marché. Tant qu'il ne perdait pas son objectif de vue, tant qu'il ne se laissait pas troubler par ses sentiments, il pouvait s'en sortir.

Le maçon se retourna et se dirigea vers son pick-up. Maxwell le regarda attentivement. C'était bel et bien Kevin. Un peu plus vieux, certes, mais il avait toujours la même dégaine qu'au lycée. Il se demanda si Karessa avait confié les travaux de rénovation à Kevin. Si c'était le cas, Maxwell avait un moyen tout trouvé de s'introduire dans la maison sans que personne ne se demande ce qu'il faisait là.

Maxwell sourit. C'était presque trop facile !

Vers dix-sept heures, Maxwell entra dans les locaux de Grayson Construction. En arrivant, il avait vu le pick-up de Kevin, au milieu d'autres véhicules. Le parking s'était vidé peu à peu. Maintenant, il ne restait plus que le pick-up. Ça tombait bien. Maxwell souhaitait parler à Kevin sans témoin.

Dès qu'il franchit la porte, il entendit Kevin au téléphone. Se laissant guider par le son de la voix, il le trouva dans un petit bureau sur l'arrière du bâtiment. Il s'appuya sur le chambranle de la porte et écouta la conversation de Kevin. D'après sa mine, son vieux copain d'école n'était pas content.

— Eh bien, vas-y seule ! Ta mère sera bien plus contente de te voir si je n'y suis pas.

« Ah, il doit être en train de parler à sa moitié. »

— Quand est-ce que je rentre à la maison ? Je n'en sais rien. Dans pas longtemps. J'ai deux ou trois choses à finir ici... D'accord, d'accord... C'est ce que je vais faire... Oui, moi aussi.

— Des problèmes ? demanda Maxwell au moment où Kevin raccrochait.

Kevin releva brusquement la tête. Il écarquilla les yeux, et puis un immense sourire éclaira son visage.

— Maxwell Hennessey ! Qu'est-ce que tu viens faire ici ?

Maxwell haussa les épaules.

— Je viens dire bonjour à un vieux copain.

Kevin s'approcha de Maxwell et le serra contre lui.

— Je suis vachement content de te voir, mon vieux, dit-il en lui désignant un siège devant le bureau. Assieds-toi, je t'en prie. Tu veux boire quelque chose ?

— Merci, je n'ai besoin de rien. Et toi, comment vas-tu ? J'ai eu l'impression que tu avais des soucis. Le torchon brûle, ou quoi ?

— Non. Je ne suis pas copain avec ma belle-mère, c'est tout. Ma femme est merveilleuse. Je ne comprends pas qu'elle puisse être sortie d'une salope pareille.

Kevin retourna s'asseoir.

— Et toi, Maxwell, tu es marié ?

— Non, il faut croire que je n'ai jamais rencontré la femme de ma vie.

— Moi, ça fait douze ans que je suis marié. J'ai trois gosses.

Avec un sourire malicieux, il ajouta :

— J'ai eu beaucoup de plaisir à les faire.

Maxwell rit de bon cœur.

— Sérieusement, reprit Kevin, qu'est-ce que tu fais à Fort Worth ?

— Je cherche du boulot. J'ai fait de mauvais investissements et je me retrouve sans un sou.

Kevin mit les mains derrière la tête.

— Tu te débrouilles avec un marteau et des clous ?

— Pas mal. J'ai été charpentier pendant quelque temps après avoir quitté le lycée.

— J'ai eu une commande aujourd'hui pour des travaux dans une vieille maison. La propriétaire demande une rénovation complète. Si tu veux du boulot, je peux t'en fournir.

— Eh, mon vieux, je ne suis pas venu ici quémander un job. Je voulais juste saluer un ancien copain de lycée.

— Tu ne quémandes rien. C'est moi qui offre. Alors, tu le veux ou pas ?

— Oui, bien sûr que je le veux. Il n'y a pas de honte à accepter un coup de main d'un vieil ami.

— Alors, présente-toi ici lundi à sept heures du matin.

— Sans faute.

Maxwell se leva et tendit la main à Kevin.

— Merci, vieux frère.

Kevin se leva à son tour et serra la main de Maxwell.

— Il n'y a pas de quoi. J'aurais voulu pouvoir parler avec toi plus longtemps mais il faut que je rentre à la maison. Si tu veux, on ira boire une bière lundi soir après le travail ?

— Excellente idée.

Maxwell réussit à garder son sérieux jusqu'à ce qu'il soit retourné à sa voiture. Ce n'est qu'une fois à l'abri derrière les vitres teintées qu'il s'autorisa à sourire. « Je suis fort », se dit-il.

4

Maxwell posa son marteau et rejeta la tête en arrière pour soulager les muscles de son cou. Il avait oublié à quel point les métiers du bâtiment étaient difficiles. Il faisait du sport régulièrement et se considérait en pleine forme pour un homme de quarante ans. Mais quelques heures de musculation par-ci par-là, ça n'avait rien à voir avec trois jours de travail manuel.

En même temps, les résultats faisaient plaisir à voir. Kevin lui avait demandé de s'occuper de la cuisine. Il avait dit que la propriétaire voulait qu'on refasse entièrement la tuyauterie et qu'on modernise tout. Maxwell n'en était pas surpris. Karessa aimait cuisiner et elle raffolait des gadgets dernier cri. Elle voulait son confort, mais dans un décor qui ait l'esprit 1900. Grâce aux photos et aux croquis qu'elle avait fournis, elle aurait exactement ce qu'elle voulait.

Il ne l'avait pas vue. Cela faisait trois jours qu'il travaillait chez elle, et pourtant il avait toujours réussi à s'en aller avant qu'elle n'arrive. Elle n'avait pas encore officiellement emménagé, mais elle passait les nuits dans la chambre de sa tante. Tout cela, il le savait par Kevin.

Entre les ouvriers dans la journée et Karessa la nuit, Maxwell n'avait pas encore eu le loisir de fouiller. Ça n'allait pas tarder. Il était décidé à trouver le titre et à filer aussitôt.

S'il devait revoir Karessa, son cœur n'y résisterait pas.

Encore un coup de tenailles et le vieux placard se décrocha du mur. Il repensa aux dessins de Karessa, qui représentaient la cuisine une fois finie. Elle avait toujours eu un bon coup de crayon et un goût très sûr.

La maison allait être fantastique.

— Comment ça se passe ? demanda Kevin dans son dos.

Maxwell se retourna vers son patron.

— Impeccable. Je viens d'arracher le dernier placard. Maintenant, je vais pouvoir commencer à replâtrer les murs.

— Tu attaqueras les murs demain. Il est dix-sept heures dix.

— Vraiment ?

Maxwell regarda sa montre. Il avait été tellement absorbé par son travail qu'il n'avait pas vu le temps passer.

— Si tous mes gars pouvaient travailler aussi dur que toi ! dit Kevin.

— J'aime me dépenser.

— Moi aussi.

Kevin mit la main sur l'épaule de Maxwell.

— Miss Austin m'a téléphoné il y a une demi-heure environ, reprit-il. Elle a des problèmes à son travail. Elle ne viendra pas ce soir.

Maxwell resta impassible tandis que son cœur se mettait à battre à tout rompre.

— Ah bon ?

— Tout le monde est déjà parti. Range tes affaires. Je vais fermer après toi.

Maxwell vit une chance de fouiller la maison sans être dérangé.

— J'aimerais travailler encore un peu. Si tu veux, je peux fermer…

Kevin fronça les sourcils.

— Ce n'est pas une bonne idée.

— Tu peux me faire confiance, Kevin, tu le sais.

— Ce n'est pas la question, Maxwell. Je suis responsable de cette maison. C'est à moi de la fermer.

Il était temps de trouver une idée plus subtile.

— D'accord, je comprends. Et si je restais pour bosser et que tu reviennes dans deux ou trois heures pour fermer à clé ? J'aimerais prendre de l'avance.

Kevin fronça les sourcils.

— Non, ce serait absurde. Quand je serai chez moi, je n'aurai pas envie de ressortir.

Il glissa la main dans la poche de son jean et en sortit une clé au bout d'une chaînette.

— Tiens. Reste ici aussi longtemps que tu voudras. Mais ménage-toi, quand même. Il ne faudrait pas que tu sois trop crevé pour travailler demain.

— Ne t'en fais pas.

Maxwell prit la clé et la serra dans son poing.

— Tu n'as rien de mieux à faire ce soir que de rester travailler ici ?

— Rien. Je ne suis pas comme toi, je n'ai personne qui m'attend à la maison.

— Ma femme a beaucoup d'amies célibataires…

Maxwell leva la main pour empêcher Kevin d'insister.

— C'est gentil mais je n'aime pas les rencontres arrangées.

— Si jamais tu changes d'avis, préviens-moi.

— C'est promis.

Continuant d'étreindre la précieuse clé, il alla à la fenêtre et regarda s'éloigner le pick-up de Kevin. Enfin seul, il prit son marteau et quitta la cuisine. Même s'il n'avait pas fouillé la maison comme il l'aurait souhaité, il avait déjà examiné le rez-de-chaussée. Le titre ne serait pas à la vue. Il serait caché quelque part, dans un compartiment secret des murs ou des boiseries.

Il commença par le salon. Planté au milieu de la pièce, il tourna sur lui-même, à la recherche de quelque chose qui sorte de l'ordinaire. Les murs étaient couverts d'un abominable papier peint à fleurs. Visiblement, la tante de Karessa n'était pas douée pour la décoration. Sur deux des murs, le papier était arraché. On voyait les montants des cloisons. Rien ne pouvait être caché là. Même s'il avait été affecté à la cuisine, il s'était promené dans la maison à plusieurs reprises pour voir ce que faisaient les autres ouvriers. Pour l'instant, personne n'avait découvert quoi que ce soit dans les murs.

Il fallait à tout prix qu'il découvre le titre avant que quelqu'un d'autre ne tombe dessus par hasard.

Tout en jonglant avec son sac à main, son attaché-case et le sachet en papier Kraft qui contenait son dîner, Karessa ouvrit la porte de derrière. Elle atterrit en plein champ de bataille. La cuisine était un vrai chantier. Elle savait que c'était indispensable. Pourtant, elle ne put s'empêcher d'avoir un peu mal au cœur.

Elle ne savait pas où poser les objets qui menaçaient de lui tomber des mains.

Passant dans la salle à manger, elle déposa le tout sur une table et poussa un soupir de soulagement.

Des petits coups de marteau, quelque part dans la maison, la firent sourciller. Elle avait bien vu le pick-up garé dehors mais elle avait pensé que c'était celui de Kevin Grayson. Manifestement, l'un de ses ouvriers avait décidé de faire des heures supplémentaires.

Se laissant guider par le bruit, elle se retrouva au premier étage, devant le salon. Immobile dans l'encadrement de la porte, elle vit un homme à genoux devant le mur du fond, apparemment occupé à le sonder. Comme il lui tournait le dos, elle pouvait l'observer tout à loisir. Des cheveux brun foncé qui ondulaient sur la nuque. Grand : une fois déplié, il devait dépasser le mètre quatre-vingts. Larges épaules. Taille bien prise. Hanches étroites. De belles petites fesses moulées dans un vieux jean.

Karessa soupira. Ça commençait à faire longtemps qu'elle n'avait pas touché les fesses d'un bel homme.

— Salut.

Il se retourna. La première chose qu'elle remarqua, c'est qu'il avait la main crispée sur le manche de son marteau. Ensuite, elle le regarda au visage et resta bouche bée. Tout son sang reflua vers son cœur. Elle pâlit, chancela. Il fallut qu'elle se rattrape au montant de la porte pour ne pas tomber.

— Max ? murmura-t-elle d'une voix blanche.

Elle n'arrivait pas à en croire ses yeux. Maxwell Hennessey se trouvait dans sa maison. *Maxwell Hennessey !* Lâchant le montant, elle se campa fermement sur ses jambes et serra les poings.

— Qu'est-ce que tu fais ici ?

Il posa le marteau par terre et se redressa.

— Je travaille.

— Tu travailles ? Pour qui ?

— Grayson Construction. Kevin a eu la gentillesse de m'embaucher.

Tout cela n'avait pas le moindre sens. Max était multimillionnaire. Il n'avait pas besoin de travailler comme maçon.

— *Kevin a eu la gentillesse de t'embaucher ?* Qu'est-ce que tu chantes ? Tu n'as pas besoin d'argent.

— Hélas, il se trouve que si ! J'ai fait de mauvais investissements, Karessa. Je n'ai plus un sou vaillant.

— Tu as quand même eu les moyens de te payer un Thomas Abernathy.

— Je l'ai acheté avant...

— Avant quoi ?

— Avant que les choses tournent au vinaigre.

Elle n'arrivait pas à croire qu'elle était là, en train de deviser calmement avec ce type. Il lui avait menti, il l'avait trahie. Elle devrait lui balancer à la tête tout ce qui était à sa portée, au lieu de le traiter avec courtoisie.

— Peu m'importe ta situation financière. Je veux que tu t'en ailles. Tout de suite.

Il fit un pas en avant, elle en fit deux en arrière.

— Karessa, dit-il en se passant la main dans les cheveux, j'ai absolument besoin de ce boulot.

— Oh, je t'en prie ! Vends ton Abernathy, tu auras de quoi vivre luxueusement pendant cinq ans...

— Il a été saisi avec le reste.

— Quand bien même, ce n'est pas avec un emploi de maçon que tu risques de te refaire.

— Pour le moment, c'est tout ce qu'il me faut pour ne pas crever de faim.

Elle n'allait pas le plaindre. Pas lui. Il l'avait trompée une fois. Ça n'arriverait plus.

— Avec des ambitions aussi modestes, tu peux redémarrer n'importe où. Je ne veux pas de toi ici.

— Tu ne me verras jamais. Pendant que je travaille ici, tu es au musée. Tu n'aurais jamais su que j'étais chez toi si je n'avais pas décidé de faire des heures supplémentaires pour me faire bien voir. J'ai décidé de rester plus tard que d'habitude quand Kevin m'a appris que tu ne rentrerais pas ce soir.

— À présent, je sais que tu es ici. Et ça ne me plaît pas du tout. Je vais téléphoner à Kevin Grayson pour lui annoncer que je ne veux plus de toi chez moi.

Elle se retourna pour partir. Elle avait déjà fait deux pas quand Maxwell la retint par le bras.

— Karessa, je t'en prie, j'ai vraiment besoin de ce job.

Il la regarda d'un air implorant. Il savait qu'avec ses beaux yeux gris il pouvait tout obtenir des femmes. Mais Karessa refusa de se laisser attendrir.

— Bas les pattes !

Il lui caressa légèrement le bras avant de la relâcher.

— Écoute, je te jure que tu ne me reverras pas. Le soir, je ferai bien attention de partir avant que tu ne rentres et, le matin, je n'arriverai qu'après ton départ. Ce sera comme si je n'étais pas là.

Elle se redressa, prête à lui redire de sortir de chez elle. Mais, avant qu'elle n'ait eu le temps de dire un mot, il poursuivit.

— Je sais que tu m'en veux. Je t'ai fait du mal. Je ne peux pas te dire à quel point je le regrette. Mais c'était il y a cinq ans, Karessa. J'ai changé. Donne-moi une chance de le prouver.

— Ne te fatigue pas à me prouver quoi que ce soit. Tu ne m'intéresses plus depuis longtemps.

— D'accord, d'accord. Mais, je t'en prie, laisse-moi travailler ici. Au moins le temps de toucher mes premiers quinze jours. Pour le moment, je n'ai même pas de quoi quitter Fort Worth.

Karessa avait toujours envie de refuser. Mais s'il était vraiment dans la situation qu'il décrivait, elle ne pouvait pas l'envoyer au diable.

— Je ne te verrai pas du tout ? Le matin, tu arriveras après mon départ et, le soir, tu partiras avant mon retour ?

— Je te le promets.

Elle le regarda dans les yeux, cherchant à savoir s'il disait la vérité. Il avait l'air sincère. Cela dit, il avait eu l'air sincère aussi, il y a cinq ans, alors qu'il était en train de la rouler dans la farine.

Elle allait devoir le tenir à l'œil.

— D'accord, tu peux continuer à travailler ici.

Il lui toucha la joue.

— Merci, Karessa.

— Maintenant, ajouta-t-elle d'une voix lasse, tout ce que je te demande, c'est de débarrasser le plancher.

— Bien sûr. Tout ce que tu voudras.

Figée sur place, la main sur la joue, elle le regarda s'éloigner. Ce simple effleurement avait suffi à la rendre nostalgique. Ses yeux s'emplirent de larmes.

Maudit Maxwell Hennessey, qui l'avait déjà fait tant souffrir, et qui n'avait qu'à reparaître pour la faire souffrir de nouveau !

Maxwell vida son verre de Chivas et s'en versa un autre. Puis il alla s'asseoir sur le bord du lit et repensa à Karessa.

Bon Dieu, elle était magnifique !

Il y a cinq ans, elle avait les cheveux plus longs, jusqu'au milieu du dos. Maintenant, ils lui arrivaient aux épaules et étaient gracieusement ondulés.

Maxwell ressentit un afflux de sang dans sa verge. Il poussa un grognement et reposa son verre sur la table de nuit. « Ne pense surtout pas à ça, mon vieux ! » se dit-il.

C'était déjà trop tard. Il se revoyait en train de faire l'amour avec Karessa. Ses beaux seins avec leurs mamelons rose pâle. Sa peau nacrée couverte d'un fin duvet doré. Son long torse. Ses jambes interminables. Sa fente onctueuse dans sa toison moussue…

Il desserra un peu la serviette nouée autour de sa taille, y glissa la main, et palpa son sexe durci. Les yeux fermés, il se souvint de cette façon qu'elle avait de se mordre les lèvres quand il la pénétrait, ou de se cambrer et de pousser une sorte de feulement quand elle était sur le point de jouir.

Il empoigna son membre et commença à faire des mouvements de va-et-vient, tandis que les souvenirs érotiques affluaient à son esprit. Ils avaient fait l'amour dès leur premier rendez-vous. Il l'avait embrassée pour la première fois au restaurant. Par bonheur, ils s'étaient trouvés dans un coin sombre, à l'abri derrière une plante verte. Si le maître d'hôtel avait vu la main de Maxwell dans le décolleté de Karessa, il les aurait sans doute mis dehors. Elle ne l'avait pas repoussé lorsqu'il lui avait pris le sein. Au contraire, elle avait glissé sa langue dans la bouche. En plus, elle avait mis sa main sur la cuisse et caressé le sexe à travers l'étoffe. Il avait aimé qu'elle soit femme à prendre des initiatives.

Ils avaient bien failli s'oublier au point de faire l'amour sur-le-champ.

Plus raisonnablement, ils s'étaient dépêchés de finir leur repas, avaient sauté le dessert. Dans la voiture, Maxwell avait dû se contenter du minimum vital jusqu'à ce qu'ils arrivent enfin chez Karessa. Il avait maudit les sièges baquet de sa Ferrari pendant tout le trajet.

Une fois dans l'appartement, ç'avait été un vrai feu d'artifice. Il l'avait prise debout, tout habillée, contre la porte à peine refermée. Ensuite, dans le lit, il l'avait léchée avec art avant de la pénétrer de nouveau.

La respiration de Maxwell devint de plus en plus laborieuse. Les mouvements de va-et-vient le long de sa hampe, lents au départ, s'étaient accélérés malgré lui. De sa main libre, il se caressa les bourses. Au moment de l'orgasme, il ressentit un violent frisson de la nuque jusqu'au creux des reins.

Le plaisir se répandit dans tout son corps par vagues, de moins en moins fortes, de plus en plus espacées.

Peu à peu, il reprit son souffle. Rouvrant les yeux, il repéra les taches de sperme sur la vieille moquette. Il était peu probable que la femme de ménage les remarque au milieu de toutes les autres salissures. Normalement, il descendait dans des palaces. Mais il ne pouvait pas se le permettre cette fois-ci en continuant de prétendre qu'il était pauvre comme Job. Ce motel minable était la solution idéale.

Maxwell s'essuya le ventre avec la serviette puis il se pencha pour éponger la moquette.

Tout, dans ce boulot, le dégoûtait.

Absolument *tout*.

À commencer par lui-même.

5

Karessa se frictionna le front, mais ça ne lui fit aucun bien. Les migraines, c'était sa bête noire. Celle-ci ne passait pas, malgré les médicaments. Elle savait que la seule chose qui la soulagerait un peu, ce serait de se coucher dans le noir. Comme elle n'avait nulle part où s'allonger dans le musée, elle avait souffert toute la matinée.

La migraine ajoutée au manque de sommeil (elle avait passé la nuit à penser à Max), cela suffisait pour qu'elle soit à cran et prête à voler dans les plumes du premier qui lui adresserait la parole. Par malheur, Joy avait deux ou trois choses urgentes à lui dire.

Karessa sursauta lorsque Joy referma son porte-documents.

— Ça va, j'ai compris, dit Joy. Rentre chez toi.

— Quoi ?

— Je t'ai vue te tenir le front. Je sais comment tu es quand tu as mal au crâne. Nous n'avons rien fait de bon, ce matin. Rentre chez toi.

— Je ne peux pas. Il y a des ouvriers partout dans la maison.

— Eh bien, va dans ton appartement.

Cela pouvait être une solution, mais elle n'y tenait pas. Son appartement lui semblait tellement aseptisé. Elle n'avait eu besoin que d'une petite semaine pour se sentir chez elle dans la vieille maison de tante Grace.

— Je n'ai pas envie de retourner à mon appartement.

Joy fronça les sourcils.

— Tu parles comme une petite fille capricieuse.

Joy se leva, décrocha le manteau de Karessa sur la patère et le lui plaça d'autorité sur les épaules.

— Va quelque part, fais-toi un grog et dors.

— Tu sais que je pourrais te virer pour manque de respect ?

— Non, tu ne pourrais pas, répondit Joy avec un large sourire. Je suis indispensable.

— Ce n'est pas faux.

Un grog et au lit. Cela semblait une bonne idée. De toute façon, elle n'arriverait pas à travailler, elle avait trop mal. Karessa enfila son manteau et s'apprêta à sortir.

— À demain, dit-elle.

— Seulement si tu vas mieux.

— Oui, maman, répondit Karessa, mi-figue mi-raisin.

Une fois dans sa voiture, elle pianota sur son volant en se demandant où aller. La solution logique, c'était son appartement. Si elle allait dans la maison, le ronflement des scies électriques et les coups de marteau l'empêcheraient de dormir.

Et puis, il y avait Max.

Il avait tenu parole. Elle savait par Kevin qu'il travaillait toujours sur le chantier mais elle ne l'avait plus jamais croisé. En rentrant à l'improviste sur le coup de midi, elle le verrait forcément

Ce serait le comble de la stupidité.

Voyant venir Kevin, Maxwell s'arrêta de frapper sur la tête de son clou.

— Oui ?

— Il est midi passé. Charlie et moi, on va avaler un hamburger vite fait. Tu viens avec nous ?

Maxwell n'avait pas envie de manger. Pourtant, d'ordinaire, il avait un solide appétit et ce n'était pas son genre de sauter des repas.

— Non merci, je n'ai pas faim. Je vais finir ça. Après, on verra.

— Comme tu veux. À tout à l'heure.

Maxwell continua d'enfoncer des clous. À part ses coups de marteau, tout était devenu calme dans la maison.

Les gars de l'équipe étaient partis déjeuner ou bien ils cassaient la croûte sous le gros chêne au fond du jardin. Ça lui donnait du temps pour réfléchir.

Malgré lui, il pensait de plus en plus souvent à Karessa. Normalement, pour s'en empêcher, il n'avait qu'à se concentrer sur le titre au porteur. Mais, aujourd'hui, ça ne marchait pas. Les souvenirs s'imposaient à son esprit, quoi qu'il fasse.

Lorsqu'il se donna un coup de marteau sur le pouce, Maxwell comprit qu'il était temps de faire une pause.

Il prit une canette de Pepsi dans sa glacière, la colla contre son pouce douloureux et sortit sous la véranda. La brise du nord soufflait, apportant avec elle une odeur de pluie. La météo prédisait des orages à partir de ce soir et jusqu'à la fin de la semaine. Un peu de pluie n'était pas fait pour lui déplaire. Dans son métier, il voyageait beaucoup. Il avait acheté un appartement en Floride et il y demeurait entre ses missions. Ça lui convenait assez bien, même s'il considérait la Floride comme une réserve pour retraités et un attrape-touriste. Par contre, il aimait bien l'État de Washington. Il avait suffi d'un voyage à Seattle pour qu'il tombe amoureux de la région : le soleil voilé, l'air frais, les arbres immenses, les magnifiques montagnes…

Il se demanda si Karessa s'y plairait.

« Pas mal, se dit-il. Avec tout ça, j'ai quand même tenu trois minutes sans penser à elle. »

Karessa mit les mains dans les poches de son pantalon et observa Maxwell. Il était assis par terre sur la véranda, adossé au mur, les yeux fermés. Il y avait quelques cheveux gris dans sa chevelure brune et ses pattes-d'oie étaient peut-être un peu plus prononcées. Sinon, il n'avait pas changé depuis cinq ans. Son ventre était toujours aussi plat, ses épaules et sa poitrine, toujours aussi larges. Il avait vraiment un corps splendide.

La moustache, c'était une nouveauté. Épaisse, d'aspect rugueux, elle couvrait toute sa lèvre supérieure. Karessa n'avait jamais embrassé de moustachu. Et elle ne pouvait s'empêcher de se demander ce que ça faisait.

La poitrine de Maxwell se soulevait doucement, comme s'il dormait. Karessa toussota pour s'éclaircir la voix.

— Max?

Pas de réponse.

— Max, redit-elle, un peu plus fort.

Toujours rien. Karessa s'essuya les mains sur son pantalon avant de prendre Maxwell par l'épaule et de le secouer. Il tressaillit, rouvrit les yeux, releva brusquement la tête et planta sur elle un regard tellement intense qu'elle eut le souffle coupé.

Un homme ne devrait pas avoir le droit d'être aussi sensuel.

— Karessa, murmura-t-il en fronçant les sourcils, qu'est-ce que tu fais là?

— Je te rappelle que je suis chez moi.

— Il est environ midi. À cette heure-là, d'habitude, tu travailles.

Comme elle n'avait pas envie de lui parler de ses maux de tête, elle lui donna une autre explication.

— Je voulais parler à Kevin. Comme je pars *de bonne heure* et que je rentre *tard*, je n'ai pas eu l'occasion d'échanger trois mots avec lui ces derniers temps.

— Kevin est allé déjeuner, répondit Maxwell en se levant. Je peux peut-être t'aider?

Il s'agissait d'une des grandes pièces du deuxième étage dont elle envisageait de faire sa chambre. Elle voulait savoir s'il serait possible de transformer en salle de bains le petit salon adjacent. Il lui fallait l'avis d'un professionnel, pas d'un aventurier soi-disant ruiné et qui enfonçait des clous pour éviter d'aller à la soupe populaire. En toute chose, elle aimait mieux s'adresser au bon Dieu qu'à ses saints.

— Non merci, dit-elle, je verrai ça avec lui quand il rentrera.

Et elle hocha la tête. Ce qui était la dernière chose à faire dans son état. Un éclair de douleur lui traversa le crâne. En grimaçant, elle porta la main à son front.

— Tu as toujours tes maux de tête ? remarqua-t-il.

— Ce n'est rien.

— Tu parles !

Il passa derrière elle et la prit par les épaules.

— Laisse-moi faire, poursuivit-il. Je vais…

Elle s'éloigna d'un bond.

— Je te l'ai déjà dit une fois : bas les pattes !

Lorsqu'elle se retourna vers lui, il poussa un soupir navré.

— Je n'essayais pas de te draguer, Karessa. Je voulais juste t'aider.

— Je n'ai pas besoin de ton aide.

— Je me souviens que tu avais de terribles migraines autrefois et qu'un massage te faisait toujours du bien.

C'était vrai. Parce que après le massage ils faisaient l'amour. Elle avait ainsi pu se rendre compte qu'il n'y avait pas sur terre de meilleur antalgique qu'un orgasme.

— J'ai juste besoin d'aller me coucher.

— Les gars vont bientôt revenir. Tu ne pourras pas te reposer avec tout le bruit qu'ils vont faire.

— Ne t'en fais pas pour moi.

Maxwell se rembrunit.

— Tu as toujours été têtue comme une mule.

Seule la douleur empêcha Karessa de répliquer vertement.

— Il faut vraiment que j'aille me coucher, dit-elle.

Elle se dépêcha d'entrer dans la maison.

Vers le milieu de l'après-midi, trois petits coups furent frappés à la porte de la chambre de Karessa, juste assez forts pour être entendus si elle ne dormait pas mais assez discrets pour ne pas la réveiller si elle dormait.

— Oui ?

La porte s'ouvrit, et Maxwell apparut.

— Tu vas mieux ?

— Oui, merci.

— Je peux entrer ?

Il brandit deux sachets de papier Kraft et ajouta :

— Je me suis dit que tu aurais peut-être faim.

Karessa eut l'eau à la bouche en humant une bonne odeur de cuisine vietnamienne. Elle ne voulait rien accepter de Max, mais ses papilles gustatives étaient d'un autre avis.

— Qu'est-ce que tu as acheté?

— Un peu de tout. Je n'ai pas mangé ce midi.

— Moi non plus.

— Alors, je peux entrer? Je ne vois pas où je pourrais m'installer pour manger.

C'était vrai. Le rez-de-chaussée et presque tout le premier étage étaient démolis. Cette chambre faisait exception. Si Max avait eu la gentillesse d'aller chercher de quoi manger, elle pouvait lui offrir l'hospitalité.

— Oui, viens!

Il entra et referma la porte derrière lui. Quoique spacieuse, la chambre de tante Grace parut tout de suite plus petite avec Maxwell dedans. Karessa s'écarta pour lui faire de la place. Il s'assit sur le lit et commença à déballer des barquettes en carton blanc.

Karessa baissa les yeux. Elle ne pouvait repenser sans chagrin aux quelques mois passés avec Max, à cause de la manière dont leur histoire s'était terminée, mais elle en gardait aussi quelques bons souvenirs. Elle l'avait passionnément aimé et lui aussi, il l'avait aimée… à sa manière.

Depuis leur aventure, elle était devenue méfiante en amour. Il était rare qu'elle accorde à un homme un second rendez-vous. Pour ne pas risquer de s'attacher et de souffrir. Elle se sentait très seule.

Maxwell lui tendit une bouteille d'eau plate et une paille.

— Et voilà! Chez le traiteur vietnamien, il n'y avait pas de paille assez longue pour aller jusqu'au fond de la bouteille. Je me suis arrêté à l'épicerie pour en acheter une.

Ainsi, il se souvenait qu'elle aimait boire avec une paille. Elle eut brusquement la gorge serrée. C'était une petite chose de rien du tout mais importante pour elle, et il n'avait pas oublié.

— Merci, Max.

Elle prit l'une des barquettes, l'ouvrit et découvrit son plat favori : du poulet au citron.

Maxwell lui passa une fourchette en plastique et en profita pour jeter un coup d'œil dans la barquette.

— J'étais sûr que tu trouverais le poulet au citron les yeux fermés.

— J'ai un excellent odorat.

— Garde-m'en une bouchée.

— Peut-être, répondit-elle avec un sourire taquin.

Il ouvrit les deux autres barquettes et prit une cuillerée de bœuf aux champignons noirs dans la première et une de porc à la sauce aigre-douce dans la deuxième. Aussi affamés l'un que l'autre, ils mangèrent un instant sans parler.

Comme la barquette de Karessa était presque vide, Maxwell s'inquiéta.

— Tu n'as pas l'intention de m'en laisser ?

— Seulement si tu me donnes de ton porc à la sauce aigre-douce...

Ils échangèrent les barquettes. Karessa se mit aussitôt à piocher dans la viande et les nouilles. Ce n'est qu'après trois ou quatre bouchées qu'elle se rendit compte que partager ainsi sa nourriture avec un homme avait un côté très intime. Quelqu'un qui les aurait vus faire aurait forcément compris qu'ils étaient amants... ou qu'ils l'avaient été.

Le grondement du tonnerre la fit sursauter.

— Est-ce qu'il pleut ?

— Il ne pleuvait pas quand je suis revenu, mais il y avait des nuages noirs dans le ciel.

— Il y a des jours que je n'ai pas allumé la télé, alors je n'ai pas vu la météo ni le journal télévisé. Je ne sais même pas ce qui se passe dans le monde.

— Tu ne perds pas grand-chose. C'est toujours la même routine : des stars capricieuses, des catastrophes, des guerres...

Le tonnerre se fit entendre de nouveau, plus proche. Maxwell écrasa sa barquette vide et la jeta dans un des sachets.

— C'est le signal. Il faut que je m'en aille. S'il commence à pleuvoir, mon pick-up va s'embourber, je dois le changer de place.

— Merci de m'avoir empêchée de mourir de faim, Max.

— Il n'y a pas de quoi, répondit-il avec un aimable sourire. Il y a des restes, je vais les mettre dans ton frigo. Les rouleaux de printemps sont dans cette boîte. Je suppose que tu auras une petite faim autour de... vingt et une heures, je ne me trompe pas ?

— Tu te souviens de mes petites manies.

Maxwell redevint grave.

— Oui, c'est vrai, répondit-il. Si je te disais tous les souvenirs que j'ai de toi, tu serais surprise, Karessa.

Il y avait tant de douceur dans la voix de Max qu'elle faillit se jeter à son cou. Mais non ! Au lieu de ça, elle lui tendit sa barquette et sa bouteille, pour qu'il l'en débarrasse.

— Bonne nuit.

Il la regarda, comme s'il cherchait encore quelque chose à ajouter, et puis il se leva et dit seulement :

— Bonne nuit.

Arrivé près de la porte, il se retourna.

— J'ai passé un bon moment et je t'en remercie.

Il ouvrit la porte mais ne sortit pas tout de suite.

— Je veux que tu saches que je regrette de t'avoir fait du mal, ajouta-t-il. Si c'était à refaire, j'agirais autrement.

— Mais ce n'est pas à refaire, n'est-ce pas ? murmura Karessa.

— Non. Dans la vie, ce qui est fait est fait et personne n'y peut rien. Tu n'imagines pas à quel point je suis désolé...

Elle le regarda s'en aller tandis que ses yeux s'emplissaient de larmes. Elle aussi, elle était désolée... désolée qu'il ait préféré l'argent à l'amour.

Un éclair illumina le ciel noir. Maxwell regarda par la fenêtre de la salle à manger. Les nuages étaient énormes. S'ils crevaient tous en même temps, ce serait un déluge.

— Eh, Maxwell?

Au son de la voix de Kevin, il se retourna.

— Oui.

— Il y a un message d'alerte pour tout le comté de Tarrant à cause des risques de tornade en fin de journée. Comme je ne veux pas exposer mes gars inutilement, je laisse tout le monde partir maintenant.

— Bonne idée.

— Tu veux fermer à ma place?

— Bien sûr.

— Merci. Tu sais, ma femme a peur de l'orage. Il faut que je rentre à la maison pour la rassurer.

Avec un sourire malicieux, il ajouta:

— Une fois que je l'aurai bien rassurée, je n'aurai pas affaire à une ingrate.

Il donna une tape sur l'épaule de Maxwell.

— Remballe tes outils et va-t'en. À lundi.

— D'accord, marmonna Maxwell.

Tout en ramassant ses outils, il repensa à ce que Kevin venait de dire. Sa femme avait peur des orages. Karessa les adorait. Plus il y avait d'éclairs, de tonnerre, de pluie, plus elle était contente. Il se souvenait que, parfois, après avoir fait l'amour, ils étaient restés dans le lit à écouter la tempête qui se déchaînait autour d'eux.

Cette complicité avec une femme, c'était tout ce qui lui manquait dans la vie. Trouver une femme avec qui coucher, c'était facile. Faire l'amour, c'était autre chose. À sa connaissance, il n'avait jamais véritablement « fait l'amour » avec aucune femme, sauf Karessa.

Ce serait si facile de s'amouracher d'elle de nouveau. Mais il ne fallait pas y songer car, cette fois-ci, elle ne pourrait pas répondre à ses sentiments.

Il avait eu du mal à respecter ses engagements. Il tournait autour d'elle quand elle rentrait tôt. Il ne pouvait pas non plus s'empêcher de s'inquiéter pour elle, comme tantôt, lorsqu'elle était revenue avec une de ces migraines atroces dont elle avait le secret. Il avait voulu prendre

158

soin d'elle. Autrefois, il suffisait d'un peu de cuisine vietnamienne pour lui remonter le moral.

Il faut dire qu'après la cuisine vietnamienne, en principe, ils faisaient l'amour. Bon sang, ils avaient fait l'amour après tout et n'importe quoi. Karessa avait eu un tempérament incroyable.

Au moment de ranger son marteau dans sa boîte à outils, Maxwell soupira. Il fallait qu'il s'en aille d'ici. Être sous le même toit que Karessa sans pouvoir la toucher le rongeait. Vite, trouver le titre et quitter Fort Worth pour ne plus jamais y remettre les pieds.

À la réflexion, maintenant, c'était le moment idéal pour fouiller un peu. Karessa somnolait dans sa chambre au premier et le tonnerre couvrirait le peu de bruit qu'il ferait. Son marteau en main, il monta au deuxième étage.

Il entra dans un salon encore intact et laissa errer son regard. Le titre devait être caché ici. C'était la seule pièce que les ouvriers avaient trouvée fermée à clé. Ça signifiait forcément que quelque chose de précieux était caché là.

Commençant par le mur le plus proche, il s'accroupit et commença à tapoter contre les boiseries à la recherche d'un son creux. Il pouvait y avoir une cachette derrière n'importe lequel de ces panneaux.

Un coup de tonnerre le fit tressaillir. Une seconde plus tard, il se mit à pleuvoir. On aurait cru que c'étaient de gros grêlons et non pas des gouttes de pluie qui s'abattaient sur le toit de la maison.

Là ! Il ne pouvait être certain de rien à cause du martèlement de la pluie mais ce coup-là ne sonnait pas comme les autres. Il touchait peut-être enfin au but !

Il frappa encore un coup, un petit peu plus fort.

— Mais qu'est-ce que tu fais là, Max ?

6

Maxwell lâcha son marteau et se retourna. Karessa se tenait dans l'encadrement de la porte, plus belle et plus blonde que jamais, échevelée, en pyjama.

Tout penaud d'avoir été pris sur le fait, il ne savait pas comment réagir.

— Euh, Karessa, c'est… c'est toi, bredouilla-t-il.

— Je viens de te demander ce que tu faisais là, Max ?

Il ramassa son marteau et se redressa, lentement, pour se donner le temps de réfléchir à un bon prétexte.

— Je regardais si ce mur était porteur pour savoir si on pouvait l'abattre sans danger. Parce que, avec ce mur en moins, ça ferait…

Elle l'interrompit.

— Tu n'es pas censé travailler dans la cuisine ?

— Si, répondit-il en haussant mollement les épaules. Mais, comme j'étais tout seul, je me suis dit que j'allais…

Il laissa sa phrase en suspens. Puis, pour éviter qu'elle ne continue de l'interroger, il lui demanda des nouvelles de sa santé. Karessa n'eut pas le temps de répondre. Dehors, il y eut un éclair éblouissant, suivi par un terrible coup de tonnerre. Elle frissonna. Il faisait un peu frisquet dans la maison.

— Tu devrais aller te remettre au chaud dans ton lit, conseilla Maxwell.

Il tonna de nouveau. Karessa regarda par la fenêtre. À dix-sept heures, il faisait noir comme en pleine nuit.

— Kevin a parlé d'un message d'alerte sur tout le comté de Tarrant, dit Maxwell.

Elle se retourna vers lui.

— Tu ne peux pas sortir maintenant, murmura-t-elle. Il pleut à verse. Le temps d'arriver à ton pick-up, tu serais trempé jusqu'aux os. Tu ferais mieux d'attendre que ça se calme.

Il n'allait pas refuser une occasion d'être seul avec elle.

— D'accord, dit-il en essayant de ne pas trahir son enthousiasme. Je vais bricoler pour passer le temps, poursuivit-il. En essayant de ne pas faire trop de bruit.

— Si tu veux.

Elle se massa le front. Du coup, Maxwell remarqua qu'elle pinçait les lèvres et qu'elle avait les yeux cernés.

— Ta tête te fait toujours souffrir?

— Un peu.

— Pas qu'un peu, à mon avis.

— Je t'assure que ça va, répondit-elle sèchement.

Maxwell comprit qu'il valait mieux ne pas insister. Sans dire un mot, il la regarda grimacer, se masser la base du cou et tourner la tête à droite et à gauche en faisant craquer ses vertèbres.

— Sur ce, je vais quand même me recoucher, dit-elle.

— Ça me semble très sage, en effet.

Il la raccompagna jusqu'au premier étage et ne la perdit pas de vue jusqu'à ce qu'elle soit rentrée dans sa chambre.

Il y avait maintenant une heure que Karessa était retournée se coucher. Maxwell supposait qu'elle dormait.

Pour ne pas risquer de la déranger, il avait fait des retouches de peinture dans la cuisine. La tempête faisait rage dehors, mais ça ne l'empêchait pas de remarquer qu'il n'y avait pas le moindre bruit au premier. Il ne savait pas si c'était plutôt bon signe ou s'il devait s'en inquiéter.

Il avait besoin d'être sûr que tout allait bien.

Alors, il alla écouter à la porte de sa chambre. Rien. L'espace d'un instant, il se demanda s'il avait le droit d'entrer. Évidemment pas. Mais l'inquiétude fut plus forte que le sens des convenances.

Sans bruit, il tourna la poignée et poussa la porte.

Karessa était couchée sur le dos, un bras sur les yeux. Il pensa qu'elle était endormie, mais elle bougea le bras et s'essuya les yeux avec le dos de la main. Des larmes ?

Le cœur de Maxwell se serra dans sa poitrine.

— Salut, murmura-t-il.

Elle tourna la tête vers lui.

— Salut.

— Tu as toujours mal ?

— De pire en pire.

Pris de compassion pour elle, il entra dans la pièce et referma la porte derrière lui. Elle le regarda avec méfiance.

— Qu'est-ce que tu fais ? demanda-t-elle.

— Je vais t'aider à te débarrasser de tes maux de tête. Tourne-toi.

— Tu n'as pas besoin de…

— Ne discute pas, Karessa. Chaque fois que tu as eu une de ces crises, mes massages t'ont soulagée en moins de deux. Maintenant, couche-toi sur le ventre.

Elle fit grise mine mais obéit sans plus de discussion.

Maxwell s'assit sur le bord du lit et posa les mains à plat sur les omoplates de Karessa. Il comprit tout de suite pourquoi elle avait mal à la tête.

— Tu es incroyablement tendue.

Il lui appuya sur les omoplates avec ses pouces. Elle laissa échapper une plainte.

— Tu es stressée, en ce moment ? demanda-t-il.

— Une nouvelle expo.

Il savait qu'à chaque nouvelle exposition elle était inquiète de la réaction du public, car elle était perfectionniste. Chaque fois, elle s'inquiétait pour rien, car ses expositions rencontraient toujours le succès.

Il lui palpa les épaules. On aurait dit de la pierre et non pas de la chair.

— Bon Dieu, Karessa, tu ne te détends donc jamais ?

— C'est rare.

— Je vois ça. Ce qu'il te faudrait, ce sont des vacances sur une île tropicale, sans téléphone, sans mails, sans responsabilités…

— Hum, ça fait un programme alléchant... Quand est-ce que je pourrais partir ?

Maxwell ricana.

— Aussitôt que je t'aurais transformée en un gros tas de guimauve.

Le téléphone portable de Karessa sonna sur la table de nuit. Sous ses doigts, il la sentit se crisper, comme si elle s'apprêtait à se redresser pour répondre. Il la retint en lui appuyant sur les épaules.

— Non, non, non, mademoiselle, on ne répond pas.

— Mais c'est peut-être imp...

— Je t'interdis de bouger. Tu écouteras tes messages plus tard.

— Max, arrête avec ton numéro de macho, tu m'énerves.

Il ricana de plus belle.

— C'est qu'elle mordrait !

— Max, je suis sérieuse, je...

— Penche ta tête en avant que j'examine ta nuque.

Elle poussa un soupir exaspéré. Elle n'avait jamais aimé qu'il soit d'un autre avis qu'elle. Tant pis. Cette fois, c'était pour son bien et, s'il devait faire un « numéro de macho » pour obtenir gain de cause, il n'allait pas se gêner.

Elle appuya son front contre l'oreiller et présenta sa nuque.

— Là, tu es content ?

— C'est peu dire. Je suis au comble de la félicité. Sauf que tes cheveux me gênent. Tu as une pince à cheveux quelque part.

— Dans le placard de la salle de bains. Deuxième tiroir à gauche en partant du bas.

— Et de l'huile parfumée ?

— Sur l'étagère de... Qu'est-ce que tu veux faire avec de l'huile parfumée ?

— T'occupe. Ne bouge pas, je reviens tout de suite.

Lorsque Maxwell revint, il ôta ses grosses chaussures et les laissa près de la porte. Pour bien faire, il allait devoir s'installer à califourchon sur les cuisses de Karessa et il ne voulait pas salir la couette.

Remontant sur le lit, il releva les cheveux de Karessa et les coinça entre les mâchoires de la grosse pince à cheveux en plastique qu'il avait rapportée. Après avoir écarté l'encolure du pyjama et s'être enduit les mains d'huile parfumée au jasmin, il put commencer le massage.

Avec ses pouces et ses paumes, il lui pétrit le cou et les épaules.

— Oh, que c'est bon! murmura-t-elle en poussant un soupir d'aise.

— Je suis content que ça te plaise.

— Je ne devrais pas te laisser faire.

— Pourquoi? Ce n'est pas la première fois que je te masse.

— Je suis toujours fâchée contre toi.

— Je sais, dit-il tout bas.

— Alors, pourquoi fais-tu ça?

— Parce que je tiens à toi.

Elle ne fit pas de commentaire. Il n'en fut pas autrement surpris. Karessa ne croirait sans doute plus jamais qu'il tenait à elle.

Il voulait lui masser le dos et pas juste la nuque et le cou. Alors, il se remit un peu de lotion sur les mains et les glissa sous la veste du pyjama. Karessa protesta aussitôt.

— Max, non!

Elle commença à se redresser mais, d'une main ferme, il la força à s'allonger.

— Calme-toi, dit-il. Je n'ai aucune pensée malhonnête…

— Permets-moi d'en douter.

Il n'eut besoin que de quelques pressions des pouces pour lui arracher un gémissement de plaisir.

— Ce ne sont plus des nerfs que tu as, ce sont des chapelets de nœuds, dit-il.

De haut en bas, d'un côté à l'autre, en diagonale, il effleura, frictionna, pinça, pétrit, jusqu'à ce que Karessa commence à se détendre. Alors, tout doucement, il lui baissa son pantalon de pyjama et lui caressa le bas du dos. Elle avait naturellement la peau douce mais l'huile parfumée l'adoucissait encore. Cela faisait cinq ans qu'il ne l'avait pas touchée, et il avait l'intention de faire durer le plaisir.

Elle se mit à respirer de plus en plus bruyamment, signe qu'elle commençait à être excitée. De son côté, il y avait un moment qu'il était en érection : cette petite séance de massage ne les laissait indifférents ni l'un ni l'autre.

Il fit remonter ses mains le long du dos de Karessa jusqu'à sa nuque et puis redescendit jusqu'au creux des reins et renouvela l'opération, chaque fois un peu moins haut à l'aller et un peu plus bas au retour.

Pour finir, il lui palpa carrément les fesses.

Au lieu de protester, comme il pouvait encore le craindre, elle écarta un peu les jambes et se cambra.

— Tu en as envie, n'est-ce pas ? demanda-t-il en lui caressant l'intérieur des cuisses.

Elle ne répondit rien mais se mit à haleter et s'agrippa à l'oreiller. Maxwell lui descendit son pantalon de pyjama jusqu'aux genoux. Elle avait effectivement un peu grossi. Ses fesses étaient plus rondes, mais toujours aussi fermes.

— Superbe ! murmura-t-il. Voilà ce qui s'appelle un délicieux embonpoint.

Se soulevant légèrement, il la prit par les hanches et la retourna. Ils échangèrent un sourire. Elle avait les paupières lourdes. Elle était peut-être détendue mais, lui, son sexe était dur comme du bois.

Il prit son temps pour l'admirer, effleurant au passage les seins ronds, blancs comme des perles, le ventre délicatement musclé, les boucles dorées de sa toison. Lorsqu'il voulut lui ôter son pantalon, elle ne fit rien pour lui compliquer la tâche.

Puis il dégrafa sa ceinture et baissa son jean et son caleçon jusqu'à mi-cuisses. Fascinée, elle regarda le phallus majestueusement dressé vers elle.

Maxwell se pencha alors et lui planta çà et là des baisers sur le ventre. Descendant toujours plus bas, il l'embrassa dans la toison, hésita autour de la perle et puis se mit à fouiller avec le bout de sa langue dans la nuit mystérieuse de l'entrejambe.

Karessa découvrit que la moustache lui procurait un agréable chatouillement, en plus de tout le plaisir auquel elle s'attendait. Au lieu de s'abandonner, elle se redressa et lui prit fébrilement le sexe dans une main et les bourses dans l'autre.

— À moi, maintenant ! dit-elle d'un ton péremptoire. J'ai envie de te sucer.

La verge de Maxwell se cabra quand Karessa la prit dans sa bouche. Comme il le lui avait appris autrefois, elle promena ses lèvres d'un point sensible à l'autre, sur le frein, sur la saillie en couronne à la base du gland. En même temps, elle le malaxa avec sa langue, mordilla, téta.

Maxwell se tenait la tête dans les mains. Au comble de la volupté, il ne s'entendait même pas ahaner.

Bientôt, son membre se dilata, vibra… et sa semence fusa en quelques jets puissants contre les lèvres de Karessa, qui aspira dans sa bouche cette précieuse sève.

Maxwell redescendit bientôt sur terre, à bout de souffle, ébloui, étourdi. Karessa ronronnait.

— Oh, que c'était bon ! dit-elle.

— Je ne savais plus où j'étais, murmura-t-il.

— Moi non plus, répondit-elle. J'adore te faire ça.

Maxwell regarda son sexe, qui avait fondu et molli.

— C'est malin, dit-il. Les préliminaires, c'est bien, mais j'avais envie de faire l'amour, moi.

— Ne t'en fais pas. Je te connais et je connais le moyen de réveiller tes ardeurs assoupies…

Elle lui prit de nouveau la verge dans une main et les testicules dans l'autre. Elle les manipula avec de gracieux mouvements de poignet et de légères et tendres pressions. Maxwell sentit tout son bas-ventre parcouru par une agréable sensation de fourmillement. Bientôt, son sexe fut suffisamment gros et dur pour repartir à l'assaut.

Sans attendre, il s'installa entre les jambes de Karessa. Il avait adoré qu'elle le prenne dans sa bouche et l'inonde de sa chaleur mais, lorsqu'il la pénétra, ce ne fut pas seulement une délicieuse expérience.

Il eut le sentiment de retrouvailles.

Il avait connu beaucoup de femmes, mais aucune dont la présence entre ses bras ne lui paraisse aussi naturelle. Avec Karessa – et avec personne d'autre –, il avait un sentiment de plénitude. Avec Karessa – et avec personne d'autre –, il avait l'impression de communier.

Bref, il l'aimait.

Il l'embrassa et, en même temps, il se mit à aller et venir à grands coups dans son onctueux sillon. Elle réagit avec ardeur, s'agrippant à lui et ondulant des hanches au rythme de ses avancées et de ses retraits.

Maxwell se rendit compte qu'il allait bientôt jouir de nouveau. Il enlaça fermement Karessa et roula sur le côté.

— Viens sur moi, chérie.

Après un demi-tour, elle se retrouva à califourchon sur lui. Dans cette position, il l'embrochait jusqu'à la garde. Elle ôta sa veste de pyjama et la jeta au loin. Maxwell admira ses seins nacrés, plus clairs que le reste du buste.

— Ils sont rondelets, dit-il admirativement en les pétrissant.

Avec ses pouces, il caressa les bourgeons.

— Ils sont beaux, dit-il encore. Et toi, tu es belle...

Elle se releva jusqu'à ce qu'elle n'ait plus en elle que le gland de Maxwell et puis elle se mit à monter et descendre le long de sa hampe, sur toute la longueur, doucement pour commencer et puis de plus en plus vite. Il décida de la laisser choisir le rythme et il ne fut pas déçu. Emportée par une inspiration soudaine, elle lui prit le phallus, l'empoigna solidement et le fit tourner dans son sexe.

Soudain, elle rejeta la tête en arrière, se cambra et poussa un cri guttural alors que le plaisir se propageait dans tout son corps et que sa sève ruisselait le long du membre de Maxwell.

L'orgasme de Karessa entraîna celui de Maxwell. Il s'enfonça en elle le plus profondément possible et se laissa envahir par le plaisir.

Des secondes passèrent, peut-être des minutes, avant qu'il ne reprenne son souffle. Karessa, toujours grisée, l'air rêveur, se touchait les seins.

Maxwell la regarda faire avec intérêt. En l'entendant rire joyeusement, elle rouvrit les yeux et lui sourit d'un air malicieux.

— C'était bon, dit-elle.

Maxwell lui caressa machinalement les cuisses.

— C'était exquis, renchérit-il.

Se penchant, elle lui mit ses mains à plat sur la poitrine.

— Bon, maintenant que nous sommes un peu détendus, si tu me la disais ?

— Quoi ?

— La vraie raison de ta présence ici.

7

Maxwell se sentit coupable, et cela se vit dans son regard.

— La vraie raison ? Mais tu la connais : je travaille pour Kevin.

— Pourquoi ?

— J'ai besoin de trois repas par jour.

— Et c'est la seule raison ?

— Quelle autre raison pourrait-il y avoir ?

Karessa hocha la tête.

— Ah, Max ! Max ! Tu as toujours eu le chic pour répondre à une question par une autre question. Je n'aime pas ça. Je ne crois pas que tu sois ruiné. Tu es trop malin pour mettre tous tes œufs dans le même panier. En admettant que tu aies fait de mauvaises affaires – ce dont je doute –, tu ne peux pas être pauvre au point d'être obligé de travailler sur un chantier. Il y a quelque chose dans cette maison qui t'intéresse.

— Oui, *toi*.

Il souleva son bassin et se frotta contre elle.

— Inutile, Max, je ne me laisserai pas distraire, dit-elle sévèrement. Je veux la vérité, *maintenant*.

Elle le regarda dans les yeux. Elle y lut des remords, et puis de la concentration, comme s'il cherchait une excuse, puis de l'abandon. C'est alors qu'elle comprit qu'il allait dire la vérité.

Il se passa la main sur le visage.

— La vraie raison, la voici : je crois qu'il y a un titre caché dans la maison.

— Un titre ?

— Un titre au porteur qui devrait valoir dans les cent soixante-seize millions de dollars !

Karessa resta bouche bée, sidérée par l'énormité de la somme.

— Cent soixante-seize millions de... Tu es sûr de ce que tu avances ?

— De la valeur ? Pas au centime près, mais c'est dans ces eaux-là.

— Et tu crois qu'il est dans cette maison ?

— Tous les indices concordent.

Elle aurait dû se douter qu'il cherchait un trésor ! Qu'il n'était pas revenu à Fort Worth pour elle.

Il était revenu pour de l'argent. Évidemment ! Il n'y avait que l'argent qui comptait pour lui !

Elle avait tort de souffrir autant. Elle n'était donc pas immunisée contre lui, depuis la dernière fois qu'il l'avait trahie ? Eh bien, non ! Son cœur était toujours aussi tendre. Elle n'avait pas renié Max, pas complètement. Elle l'aimait encore un peu. Et elle avait envie de l'aimer davantage.

— Maintenant, je comprends pourquoi tu fais semblant d'être pauvre et que tu t'infliges ce travail. Le jeu en vaut la chandelle.

Il lui caressa les cuisses.

— Après ce que nous venons de partager, l'argent ne me paraît plus aussi important.

— Qu'est-ce que nous avons partagé ? demanda-t-elle d'une voix frémissante de colère.

— Nous avons fait l'amour.

Elle descendit précipitamment du lit.

— Nous n'avons pas fait l'amour ! s'exclama-t-elle avec un éclat de rire amer. Nous avons baisé.

En grimaçant, Maxwell se redressa.

— Ne salis pas ce que nous venons de faire, Karessa. C'était beau.

— Je ne salis rien. Je dis les choses telles qu'elles sont.

Sans se presser, elle remit son pyjama.

— Tu es très bon au lit, Max, reprit-elle. J'avais envie d'un homme. Tu étais là. Je me suis servie de toi, un point, c'est tout.

Elle releva les yeux juste à temps pour le voir accuser le coup.

— Maintenant, ajouta-t-elle avec rancœur, tu sais ce que j'ai ressenti il y a cinq ans, quand tu m'as utilisée pour voler une carte dans mon musée.

Il sortit du lit et remit son caleçon et son jean.

— Je n'ai pas volé cette carte.

Karessa écarquilla les yeux.

— Oh, pardon, j'oubliais ! Tu ne l'as pas vraiment volée. Tu l'as juste empruntée, le temps d'en faire une copie.

Il poussa un soupir excédé et se passa la main dans les cheveux mais ne répliqua pas.

— Quoi, pas de réplique ? s'étonna Karessa. Tu ne cherches pas à te justifier ? Dis-moi au moins que ça valait le coup. Que, grâce à cette carte, tu as trouvé le plus beau trésor de ta carrière.

— Non, cette carte ne m'a mené nulle part.

— Donc, tu t'es embêté avec moi pendant des mois pour des nèfles ?

— Je ne me suis pas embêté avec toi, Karessa. Je t'aimais. Je t'aime toujours.

Elle leva les bras au ciel.

— Tu as l'audace de parler d'amour, *toi* ! Mais tu ne sais pas ce que ça veut dire, aimer quelqu'un !

— Je sais que je t'aime et que je t'aimerai toujours.

Avec de telles paroles, il croyait peut-être réjouir Karessa mais il ne faisait que remuer le couteau dans la plaie.

— Pardonne-moi mais je ne te crois pas.

Il fit un pas vers elle.

— Karessa…

— Il pleut déjà moins fort. Finis de te rhabiller et va-t'en. Mais reviens demain matin à neuf heures. C'est samedi, nous serons tranquilles. Je vais t'aider à le trouver, ce faramineux bout de papier. Cent soixante-dix millions et des poussières ! Ça t'évitera d'avoir à me les voler et de risquer vingt ans de prison. Après quoi, tout ce que je te demanderai, c'est de sortir de ma vie une bonne fois pour toutes.

L'orage de la veille avait assaini l'atmosphère. Karessa respira une grande goulée d'air frais. Il faisait si doux qu'elle avait pris son petit déjeuner sur la véranda. Maintenant, elle regardait son parc. Le spectacle était calme et serein.

Pas comme son humeur.

Ses yeux la brûlaient – trop de larmes cette nuit et pas assez de sommeil. Elle s'en voulait de se laisser obséder par Max. Elle aurait dû être implacable et le chasser dès le premier jour. Mais non, toujours aussi naïve, elle avait gobé ses bobards.

Quelle cruche !

Ça lui apprendrait.

Au fond de son cœur, elle avait toujours espéré que Max reviendrait. Elle l'avait aimé assez pour lui pardonner et lui donner une seconde chance. Mais, maintenant, c'était fini.

Elle allait l'aider à trouver le titre au porteur. Elle se moquait des millions. Elle n'en avait pas besoin. Tout ce qu'elle voulait, c'était qu'il fiche le camp.

Son cœur sursauta lorsqu'elle entendit le roulement de son pick-up dans l'allée. À l'idée qu'elle allait bientôt le voir, elle s'enflamma de désir. Cette canaille était, par malheur, un merveilleux amant.

Elle prit une gorgée de café en le regardant descendre de son pick-up et venir vers elle. Ce qu'elle vit en premier, ce fut l'impressionnant renflement derrière sa braguette. Son jean étroit ne laissait pas grand-chose à l'imagination. De toute façon, elle n'avait pas besoin d'imaginer. Elle savait exactement à quoi ressemblait le sexe de Max, ce que ça faisait de l'avoir au creux de la main, dans la bouche ou entre les jambes…

— Bonjour, dit-il une fois qu'il fut au pied des marches.

Karessa s'éclaircit la gorge. Maudites hormones !

— Bonjour. J'ai encore du café, si tu en veux ?

— Non merci, j'en ai bu des litres avant de venir.

Il la rejoignit sur la véranda.

— Tu permets ?

Il attendit qu'elle acquiesce d'un hochement de tête avant de s'asseoir près d'elle.

Karessa but une dernière gorgée de café et posa sa tasse. Il était temps d'arrêter de rêvasser. « Passons aux choses sérieuses », se dit-elle.

— La nuit dernière, j'ai fouillé dans les paperasses de ma tante en me disant que ton fameux titre s'y trouverait peut-être…

— Karessa, rien ne t'oblige à faire ça. Je ferais mieux de m'en aller…

— Non, nous allons le chercher… tout le week-end s'il le faut… Ce serait dommage que tu sois venu de si loin et que tu te sois donné tout ce mal pour repartir bredouille, n'est-ce pas ?

— Bon Dieu, Karessa, tu comptes davantage pour moi que tous les trésors du monde !

Karessa préféra ne pas tenir compte de cette prodigieuse déclaration de mauvaise foi. Elle sortit de la poche de son chemisier une feuille de papier jauni.

— Je n'ai pas trouvé le titre au porteur mais j'ai trouvé ceci, annonça-t-elle. C'est une espèce de poème…

— Un poème ?

— Oui, si l'on veut. Dans un genre très hermétique. Écoute plutôt.

Elle déplia la feuille de papier et lut à haute voix.

— *Caché toujours est le précieux.*
Égare les sots et les jaloux.
Les Menechmes
se contemplent l'un l'autre à travers la surface.
La Fortune, année zéro,
Si toi aussi tu réfléchis.
Tribulations jusqu'à sept
Si tu le brises.
Au fond du Rhin est l'or.
Au fond de l'océan d'argent, le précieux.
Un quart de tour est la clé.

Maxwell fronça les sourcils.

— Tu comprends ce que ça veut dire ?

— Non, mais c'est sans doute très important. Elle fait distinctement allusion à un trésor caché. Il s'agit sûrement du titre au porteur.

— À moins qu'il ne s'agisse d'un joli peigne ou d'un bijou fantaisie. Elle était peut-être petite quand elle a écrit ça.

— Vu le niveau des allusions culturelles, ça m'étonnerait.

— Bah, le « précieux » a l'air de sortir tout droit du *Seigneur des anneaux*.

— Sans doute, concéda Karessa. Ma grand-mère a toujours adoré Tolkien, et elle l'a fait lire à ma mère et sans doute aussi à tante Grace… Mais l'or du Rhin ou les Menechmes, ça fait plutôt partie du bagage d'un adulte cultivé.

— Bon, l'or du Rhin, c'est une référence à Wagner… mais les Menechmes ?

— Antiquité latine… Une comédie de Plaute… Une histoire de jumeaux…

Maxwell fit une moue approbatrice.

— Tu en sais, des choses !

— Bah, répliqua Karessa, les dictionnaires ne sont pas faits pour les chiens !

Elle replia le papier et le remit dans sa poche.

— Je suppose que, depuis que tu es ici, tu as fouillé un peu partout ? demanda-t-elle.

— Pas autant que j'aurais voulu, répondit Maxwell. Je n'ai presque jamais été seul.

— As-tu une idée de l'endroit où le titre pourrait se trouver ?

— Sans doute dans le joli petit salon du deuxième étage. Parce que c'est la seule pièce qui était fermée à clé quand nous sommes arrivés. J'en conclus qu'il y a quelque chose d'important, là-haut. Sinon, pourquoi prendre la peine de donner un tour de clé ?

— C'est logique. Allons voir !

Karessa s'agenouilla par terre et s'assit sur ses talons. Elle ne voulait pas gêner Max mais elle tenait à voir tout ce qu'il faisait. Marteau en main, il s'approcha du mur qu'il avait été en train de sonder lorsqu'elle l'avait surpris la veille au soir.

— Tu penses que c'est dans ce mur ?

— Ce n'est pas impossible. Hier, j'ai eu l'impression que ce panneau sonnait creux.

— Comme s'il y avait un compartiment secret ?

— Oui, c'est ça.

Doucement, méthodiquement, il tapota contre le panneau avec son marteau. À une vingtaine de centimètres du sol, le son était différent. Karessa s'en rendit compte aussi. Ils échangèrent un regard complice.

Maxwell enfonça un pied-de-biche sous le bord du panneau. Le bois se fissura. Il s'arrêta et se tourna vers Karessa, l'air dubitatif.

— Vas-y, dit-elle. Ce n'est qu'une vieille planche.

Encore un coup de pied-de-biche et le panneau se brisa. Maxwell ôta un à un les morceaux. Karessa se pencha pour regarder dans le mur en même temps que lui.

Rien. Il y avait bien un creux mais il était vide.

Maxwell s'assit par terre. Karessa lut la déception dans ses yeux.

— C'est comme une maladie chez toi ?

Il se tourna vers elle, l'air sombre, le front plissé.

— Quoi ?

— La chasse au trésor. Tu es accro. Comme un drogué, un alcoolique ou un flambeur. Il te faut ta dose.

Il soupira, se tritura la moustache mais ne répondit rien.

— Et maintenant, demanda Karessa, qu'est-ce qu'on fait ?

— Je n'en sais rien.

Il se releva et tendit la main à Karessa pour l'aider à en faire autant.

— J'ai l'intuition que le titre est dans cette pièce, dit-il.

— Alors, continuons à chercher.

Karessa sortit de sa poche le poème de tante Grace et le relut à haute voix pour s'en imprégner.

— *Caché toujours est le précieux.*
Égare les sots et les jaloux.
Les Menechmes
se contemplent l'un l'autre à travers la surface.
La Fortune, année zéro,
Si toi aussi tu réfléchis.
Tribulations jusqu'à sept
Si tu le brises.
Au fond du Rhin est l'or.
Au fond de l'océan d'argent, le précieux.
Un quart de tour est la clé.

— Ça ne m'évoque toujours rien, dit-elle lorsqu'elle eut fini. Et toi ?
— À moi non plus. Je n'ai jamais été doué pour les charades. Fais voir.

Elle lui donna le mystérieux poème et attendit qu'il l'ait relu à son tour.

— Je crois que je commence à comprendre, dit-il enfin. Tout cela semble évoquer un miroir.
— Explique-toi.
— Eh bien, les jumeaux qui se regardent l'un l'autre, c'est une personne et son reflet. Il réfléchit et nous sommes invités à en faire autant.
— « Océan d'argent » s'éclaire tout à coup, dit Karessa. Pour faire un miroir, il faut du tain. Dans le tain, il y a du mercure...
— Autrement dit, du vif-argent, conclut Maxwell.
— Tout juste.
— Et les sept ans de tribulations si tu le brises... N'y a-t-il pas une superstition qui promet sept ans de malheur à qui casse un miroir ?

Karessa tourna les yeux vers une merveilleuse petite coiffeuse en acajou qu'ornait un miroir très piqueté.

— Tu crois que le titre se trouve là ? demanda-t-elle d'une voix étranglée par l'émotion.

— J'en mettrais ma main à couper, répondit hardiment Maxwell.

— Dans la coiffeuse ?

— Derrière le miroir.

Tous les sens en éveil. Le sang qui afflue au cerveau. Le sexe dur comme de l'os. Les mains moites. Chaque fois qu'il était sur le point de découvrir un trésor, Maxwell ressentait tout ça à la fois. Mais pas aujourd'hui.

Il n'y comprenait rien.

Peut-être que la réaction viendrait plus tard, quand il tiendrait en main le précieux morceau de papier.

Il fit faire un quart de tour à la coiffeuse, assez pour pouvoir se faufiler derrière. Un vieux panneau de bois recouvrait le fond du miroir. Craquelé, vermoulu. Impossible de dire depuis combien de temps il était là.

— Tu veux un marteau ? demanda Karessa.

— Plutôt des tenailles.

Maxwell arracha doucement les clous l'un après l'autre et les passa à Karessa. Après le dernier clou, il décolla précautionneusement la planche.

Une grande enveloppe bistre tomba sur le sol.

Il se pencha pour la ramasser mais, au dernier moment, il s'arrêta et leva les yeux vers Karessa. Elle était immobile, les bras croisés sur le ventre. Elle le regardait fixement.

Des larmes brillaient dans ses yeux.

— On dirait que tu as trouvé, dit-elle d'une voix rauque.

— Ouais.

Il continua à la regarder sans faire le moindre geste.

— Qu'est-ce que tu attends ? demanda-t-elle. Ramasse-la. C'est pour ça que tu es là.

En soupirant, Maxwell prit l'enveloppe et se redressa. Il la tint dans sa main droite et la tapota contre sa main gauche. Il ne ressentait toujours rien. Pas d'afflux de sang. Pas de battements de cœur. Pas d'érection. Il avait en main une fortune et il ne ressentait rien de particulier – sauf du dégoût envers lui-même.

Karessa avait raison. La chasse au trésor était une drogue.

Jusqu'ici, ç'avait été le cas.

C'était absurde. Il aurait dû saliver, être fou de joie comme tout mortel sur qui s'abat une pluie d'or.

Mais il ne voulait pas des cent soixante-seize millions ! Il voulait Karessa.

— Tiens, Karessa, dit-il en lui tendant l'enveloppe.

Elle se rembrunit.

— Quoi ?

— Je n'en veux pas. C'est à toi.

Elle commença par rester bouche bée. Et puis, elle plissa les yeux d'un air méfiant.

— À quoi joues-tu, Max ?

— À rien. Le titre appartenait à ta tante. Nous l'avons trouvé dans cette maison qu'elle t'a laissée en héritage avec tout ce qu'il y a dedans. Légalement, il t'appartient.

Après avoir hésité, elle prit l'enveloppe.

— Je ne comprends pas, Max.

— C'est pourtant simple. Je fais la seule chose qui soit honnête. Peut-être pour la première fois de ma vie. Tu avais raison, Karessa. J'étais accro et les trésors, c'était ma came. J'ai gâché cinq ans de ma vie parce que, comme n'importe quel toxico, j'ai préféré la drogue à l'amour. Je n'aurais jamais dû te quitter. Depuis, chaque jour, je m'en suis mordu les doigts.

Il la regarda tendrement, et puis cet aveu lui échappa :

— C'est fou comme je t'aime.

— Max...

— Je sais que tu ne me crois pas. Je te comprends. Et cela, dit-il en désignant l'enveloppe qu'il venait de lui mettre dans la main, cela, ce n'est pas une ruse. Je n'essaie pas de te faire pitié. Je me conduis décemment, c'est tout.

En espérant qu'elle ne le repousserait pas, il tendit le bras et lui caressa les cheveux.

— J'ai beaucoup d'argent, reprit-il. Il ne m'en faut pas plus que je n'en ai déjà. Même en jetant l'argent par les fenêtres, je n'arriverai jamais à tout dépenser. Prends le titre, vends-le. Sers-toi de l'argent pour agrandir ton musée. Achète-toi des vieilles maisons aux quatre coins du monde et rénove-les. Offre-toi un Picasso, deux Boeing 747 ou bien mille Rolls Royce. Tout ce que tu voudras.

Elle resta muette pendant un moment : à cause de la surprise, peut-être, ou de la peur d'être dupe.

— Pourquoi fais-tu cela, Max ?

— Parce que je t'aime, répondit-il sans l'ombre d'une hésitation.

Comme elle n'avait toujours pas l'air de le croire, Maxwell se dit qu'il fallait peut-être autre chose que des mots pour la convaincre. Il l'embrassa sur la bouche, lentement, tendrement, pour lui montrer à quel point il tenait à elle. Comme elle ne fit rien pour se défendre, il la prit par la taille, la plaqua contre lui et l'embrassa en y mettant un peu plus de fougue.

— Ce sera ça, ma drogue, désormais. Je n'en veux pas d'autre.

Elle s'écarta et le regarda d'un air éberlué.

— Aussi simple que ça ? dit-elle. La chasse aux trésors ne te tente plus du tout ?

— La seule chose qui me tente encore dans la vie, c'est toi.

Karessa avait désespérément envie de le croire. Il y a cinq ans, elle ne rêvait que de partager sa vie avec lui. Un rêve auquel elle n'avait jamais complètement renoncé. Mais elle avait quand même du mal à croire qu'il ait pu se « désintoxiquer » aussi vite.

S'écartant, elle lui brandit l'enveloppe sous le nez.

— Nous ne l'avons pas encore ouverte, dit-elle. Le titre n'y est peut-être pas.

— C'est juste.

Elle tint l'enveloppe à deux mains.

— Je pourrais la déchirer maintenant, si je voulais.

— Tu pourrais. Elle est à toi. Tu peux en faire absolument ce que tu veux.

Il n'y avait aucune trace de peur dans son regard, pas la moindre anxiété. Il ne bluffait pas. Qu'elle déchire l'enveloppe ou pas, il s'en moquait vraiment.

— Max, tu es sérieux ? Tu me permettrais de déchirer cette enveloppe en mille morceaux, sachant qu'elle contient peut-être un titre au porteur d'une valeur de cent et quelques millions de dollars !

— Je n'ai rien à te permettre ou à t'interdire, Karessa. J'ai dit que ce titre t'appartenait et il t'appartient, il n'y a pas à revenir là-dessus. Tout ce que je veux, c'est toi. Toi, et puis c'est tout.

Son regard tendre et amoureux acheva de la convaincre. Elle pleura à chaudes larmes. Mais, cette fois, c'étaient des larmes de joie.

— Tu m'aimes vraiment ?

— De tout mon cœur.

Karessa se jeta à son cou et le serra très fort.

— Moi aussi, je t'aime, murmura-t-elle.

Épilogue

Maxwell était en train de se déshabiller. Assise dans le lit, Karessa attendait qu'il la rejoigne. Elle ne put s'empêcher de soupirer lorsqu'il ôta son caleçon et se retrouva tout nu. Cet homme-là était vraiment magnifique.

Il se glissa entre les draps, releva son oreiller et s'y adossa. Une lueur amusée passa dans ses yeux.

— Je t'ai entendue pousser un gros soupir. Étais-tu en train de me reluquer ?

— Oui, je l'avoue.

— Fort bien.

Il écarta le drap qui la couvrait.

— Ce qui veut dire que, moi aussi, j'ai le droit de me rincer l'œil.

— Avant que nous ne passions à la phase suivante, j'ai à te parler.

Il lui toucha un sein.

— Est-ce que je peux te caresser pendant ce temps-là ?

— Pas question.

— Bon Dieu, ça a l'air sérieux !

Il la lâcha et la regarda dans les yeux.

— Vas-y, je t'écoute.

Elle prit le titre dans le tiroir de la table de nuit et le lui tendit.

— Tiens, regarde.

— Pourquoi ? Je n'ai pas besoin de le voir. Il est à toi.

— Je t'en prie, je veux que tu le voies.

Après un bref instant d'hésitation, il s'empara du titre, le déplia, le tint à bout de bras à contre-jour pour voir le

181

filigrane, admira les élégantes arabesques qui en décoraient le pourtour et puis lut tout ce qu'il y avait d'écrit dessus, jusqu'au nom de l'imprimeur, tout petit, dans un coin.

Cela fait, il le replia soigneusement.

— Bon, maintenant que je l'ai vu, qu'est-ce que tu veux que j'en pense ?

— Tu as remarqué le nom de la compagnie de chemin de fer ?

— Oui. Tanner et Watson. Pourquoi ?

— Tanner et Watson était une petite compagnie qui a été rachetée par une plus grande… qui, à son tour, a été rachetée par une plus grande encore…

—… laquelle, acheva Maxwell, a été par la suite absorbée par Tharwood Energy.

— C'est vrai, confirma Karessa. Si ce document avait été émis par Tanner et Watson, il vaudrait sûrement dans les cent soixante-dix millions de dollars. Mais le nom inscrit sur mon titre, ce n'est pas Tanner et Watson, hélas, mais *Tonner* et Watson.

— *Tonner* et Watson ? répéta Maxwell, dérouté.

— Une petite compagnie de chemin de fer qui a coulé en 1904. Le directeur s'est enfui avec la caisse. Il y a eu des centaines de petits actionnaires qui se sont retrouvés sur la paille.

— Ce qui veut dire…

—… que ce titre ne vaut pas un sou.

Maxwell tapota le titre contre la paume de sa main.

— Pas un sou, redit-il pensivement.

Karessa confirma d'un hochement de tête.

— Il ne vaut peut-être pas un sou à Wall Street mais il est quand même important pour moi. Je vais l'exposer dans mon musée.

— Et comment sais-tu tout cela ?

— C'est mon métier. Je connais bien l'histoire des États-Unis. Et, plus particulièrement, l'histoire du Texas.

Maxwell se redressa sur son séant.

— Donc, ce titre va se retrouver dans une vitrine au musée Gage-Austin et il n'y a rien d'autre à en faire ?

— C'est exact.

Il lui rendit le papier.

— Au fond, tant mieux.

Ce n'était pas exactement ce que Karessa s'était attendue à entendre.

— Quoi, tu es content que ce titre ne vale rien ?

— Maintenant, tu vas pouvoir être certaine que je veux t'épouser parce que je t'aime et non pas à cause de ton argent.

Elle entrouvrit la bouche pour parler, mais il continua sans lui laisser le temps de dire un mot.

— Je sais que tu avais des doutes à mon sujet. Tu en as peut-être encore. Mais je vais passer le reste de ma vie à te montrer à quel point je t'aime. Je te le jure.

Karessa le croyait. Il y avait tant d'amour dans les yeux de Maxwell qu'elle n'avait pas besoin d'une autre preuve.

— Je t'aime, Max, murmura-t-elle.

— « Je t'aime, Max », répéta-t-il en souriant. Hum ! ça sonne bien… Mme Karessa Hennessey, ça sonne bien aussi. On va essayer d'écourter les fiançailles au maximum, d'accord ?

— Pour les fiançailles, j'y mets quelques conditions.

Maxwell ouvrit des yeux ronds.

— Des conditions ?

— Je veux t'emprunter ton Abernathy pour pouvoir exposer la série complète.

— D'accord.

— Et puis…

Maxwell fronça les sourcils.

— Hein ? Ce n'est pas fini ?

Karessa hocha la tête.

— Tss-tss, fit-elle en clappant de la langue. Quand tu m'as massée, hier soir, tu as dit que j'avais besoin de vacances sur une île tropicale… Je veux que nous allions passer notre lune de miel quelque part où il y aura des palmiers, une mer turquoise et des plages de sable blanc… dans un palace où je serai chouchoutée du matin au soir et du soir au matin.

Maxwell sourit.

— O.K. pour ça aussi.

— Dans ce cas, dit Karessa en le prenant par le cou, j'approuve l'idée de fiançailles très brèves.

Table

Le 15 février :

Un séduisant ravisseur ❧ Lael St. James (n° 6537)
Cornouailles, 1369. Gabrielle s'apprête à épouser lord Avendall
lorsque son escorte est prise en embuscade. Parmi les terrifiants
guerriers se trouve Morgan Chalstrey, l'ennemi juré de lord Avendall.
Depuis des années, il attend l'heure de la vengeance. Aujourd'hui, il
tient à sa merci la promesse de son ennemi.

Ennemis pour toujours ! ❧ Jane Feather (n° 8575)
En pleine guerre civile, sur l'île de Wight. S'unir à une royaliste, Alex
ne le pourra jamais ! Pourtant, Virginia est si attirante… Et s'il laissait
de côté ses aspirations politiques pour s'abandonner au plaisir ? Après
tout, les liaisons ennemies ne sont-elles pas les plus piquantes ?

*Si vous aimez Aventures & Passions,
laissez-vous tenter par :*

*P*assion
intense

Quand l'amour vous plonge dans un monde de sensualité

Le 15 février :

Voluptueuse innocence ❧ Susan Johnson (n° 8576)
Angleterre, 1816. Annabelle, actrice audacieuse, se repose à la
campagne et s'occupe de sa mère à la santé fragile. Retirée de la vie
excitante de la ville, Annabelle n'a pas beaucoup d'occupations jusqu'à
ce qu'elle rencontre Duff, son charmant voisin. Tous les deux trouvent
en effet de douces et voluptueuses manières de passer le temps…

*Nouveau ! 1 rendez-vous mensuel
aux alentours du 15 de chaque mois.*

Romance
d'aujourd'hui

Le 15 février :

Un précieux héritage ∝ Barbara Delinsky (n° 4962)

Un mariage d'amour ? Non, pas question de se laisser piéger deux fois de suite. Si Sara consent à se remarier avec Geoffrey, c'est uniquement pour lui permettre d'adopter une petite orpheline. Pourtant, la caresse d'un regard, le frôlement d'une peau suffisent parfois à ranimer des braises que l'on croyait à jamais éteintes…

Les secrets du passé ∝ Deborah Smith (n° 5307)

Durant vingt ans, Claire a cherché dans la foule le visage de Ron, son amour d'enfance. Et, lorsqu'il surgit enfin devant elle, la joie n'est pas entière car, contrairement à ce que l'on dit, le temps n'efface pas toutes les blessures. Combien de courage, de patience et de franchise leur faudra-t-il encore pour que crèvent les malentendus qui les ont séparés et que s'apaisent les rancœurs ?

Nouveau ! 1 rendez-vous mensuel
aux alentours du 15.

SUSPENSE

Le 1er février :

Méfie-toi, Kara ! ∝ Pamela Clare (n° 8561)

C'est lors d'une soirée bien arrosée que Kara McMillan, journaliste d'investigation, rencontre le sénateur Reece Sheridan. Alors que Kara s'attache de plus en plus à cet homme, elle découvre qu'il est impliqué dans un scandale écologique.

Nouveau ! 1 rendez-vous mensuel
aux alentours du 1er de chaque mois.

MONDES
MYSTÉRIEUX

Le 1er février :

Le bal de tous les dangers ❧ Emma Holly (n° 8564)

Angleterre, 1813. Lucius White est le dernier descendant d'une race supérieure de vampires et sa vie ne tient plus qu'à un fil jusqu'au jour où il croise le chemin d'un homme blessé et mourant. Depuis, Lucius vit l'existence du jeune homme qu'il avait tenté de sauver et dispose, dès lors, d'une nouvelle jeunesse dont il compte bien profiter...

> *Nouveau ! 1 rendez-vous mensuel*
> *aux alentours du 1er de chaque mois.*

Et toujours la reine du roman sentimental :

Barbara Cartland

Le 1er février :

Une fuite éperdue (n° 3125)
Fiançailles secrètes (n° 8560)

Le 15 février :

Princesse fugitive (n° 4545)

> *Nouveau ! 2 rendez-vous mensuels*
> *aux alentours du 1er et du 15 de chaque mois.*